मीराँबाई ग्रन्थावली-2

मीराँबाई की पदावली

मीरांबाई ग्रन्थावली–2

(मीरांबाई की जीवनी)

प्रो. (डॉ.) कल्याणसिंह शेखावत

वाणी प्रकाशन

प्रकाशन के उत्कृष्टतम 60 वर्ष

vaniprakashan.com

सजिल्द पहला संस्करण : 2001
सजिल्द दूसरा संस्करण : 2004
सजिल्द तीसरा संस्करण : 2017
सजिल्द चौथा संस्करण : 2023

वाणी प्रकाशन

4695, 21-ए, दरियागंज, नयी दिल्ली-110 002

फ़ोन : +91 11 23273167, 23275710

शाखाएँ

अशोक राजपथ, पटना-800 004, बिहार

कॉफ़ी हाउस कैम्पस, महात्मा गांधी मार्ग, इलाहाबाद-211 001, उत्तर प्रदेश

महात्मा गांधी अन्तरराष्ट्रीय हिन्दी विश्वविद्यालय, वर्धा-442 001, महाराष्ट्र

36/ए, शेक्सपियर सरणी, रानी बिरला गर्ल्स कॉलेज के पास, कोलकाता-700 017, प. बंगाल

sales@vaniprakashan.in
vaniprakashan@gmail.com

Meeranbai Granthawali-2
by Prof. (Dr.) Kalyan Singh Sekhawat

ISBN : 978-81-7055-763-0
Granthawali

मूल्य : ₹ 475

आर. टेक ऑफ़सेट प्रिंटर्स, दिल्ली-110 032 में मुद्रित

वाणी प्रकाशन का लोगो मक़बूल फ़िदा हुसेन की कूची से

मैं अपना यह ग्रन्थ
श्रद्धेय श्रीमती कृष्णकुमारी जी
राजमाता साहिब, जोधपुर
को
सादर समर्पित करता हूँ

—**कल्याणसिंह शेखावत**

सम्पादकीय

मीराँबाई ने अपने प्रभु "गिरधरनागर" के भक्तिगान को जिस वाणी रूप में प्रस्तुत किया उसे पदावली, भजन, हरिजस आदि विविध नामों से सम्बोधित किया गया है। मीराँ की यह वाणी मौखिक तथा लिखित दोनों परम्पराओं में प्राप्त है। गत लगभग पाँच सौ बरसों से मीराँ के पदों की स्वर लहरी लोककण्ठों का हार बनी हुई है। अनेक वर्षों पश्चात् इस मौखिक रूप से प्रचलित मीराँबाई को हस्तलेखों से संग्रहित कर सुरक्षित किया गया। मीराँबाई के लिपिबद्ध पदों का स्वरूप विक्रमी की सतरहवीं सदी में प्राप्त हस्तलिखित ग्रन्थों में प्राप्त होने लगता है। मौखिक रूप से मीराँ के पद सम्पूर्ण भारत में प्राप्त होते और जिन पर स्थानीय प्रभाव से अनेक भाषा का रूप तथा शब्द प्रमुखता लिए हुए हैं। अनुसन्धान की दृष्टि से मौखिक परम्परा के स्थान पर मीराँ के पदों का लिखित स्वरूप अधिक प्रामाणिक तथा विश्वसनीय माना जाता है क्योंकि लोक प्रचलित पदों में परिवर्तन अधिक होता है जिसके कारण यह निश्चित करना अत्यन्त कठिन होता है कि किसी पद का स्वरूप कब कौन-सा रहा है। पदों के लिखित स्वरूप से यह निश्चित किया जा सकता है कि विक्रमी की कौन-सी सदी में उसका क्या रूप रहा है और कालान्तर में प्रक्षिप्त अंशों के कारण उसमें क्या परिवर्तन हुआ है।

अत : मैंने 'मीराँबाई की प्रामाणिक पदावली के निर्धारण हेतु राजस्थान के ग्रन्थ भण्डारों में प्राप्त अनेक हस्तलिखित ग्रन्थों में उपलब्ध सामग्री को अपने अनुसन्धान परक अध्ययन का आधार बनाया है। मीराँ के पद देश विदेश के अनेक ग्रन्थ भण्डरों की विविध हस्तलिखित प्रतियों में उपलब्ध है किन्तु राजस्थान में प्राप्त लिखित सामग्री का विशेष महत्त्व है। राजस्थान में राजस्थान प्राच्य विद्या प्रतिष्ठान जोधपुर और उसकी अनेक शाखाओं, बीकानेर स्थित अनूप संस्कृत पुस्तकालय, भारतीय विद्या मन्दिर, सन्त साहित्य संगम, जोधपुर स्थित राजस्थानी शोध संस्थान, चौपासनी महाराजा मानसिंह पुस्तक प्रकाश, शोध केन्द्र आदि महत्त्वपूर्ण स्थान है।

राजस्थान प्राच्य विद्या प्रतिष्ठान जोधपुर में मीरांबाई के पदों से युक्त तीन प्राचीन हस्तलिखित प्रतियाँ हैं।

प्रस्तुत ग्रन्थ के माध्य से मैंने मीराँ की प्रामाणिक पदावली को प्रस्तुत करने का प्रयास किया है। इसके लिए ललिता प्रसाद सुकुल की निम्नलिखित पंक्तियाँ मेरे लिए प्रेरणा बनी–

1. (क) ''सम्पादन कार्य इतना सरल नहीं। उच्चतम कोटि की ईमानदारी इसकी पहली शर्त है। यह माना कि प्राचीन प्रतियों में विशेषकर जब छपाई का साधन नहीं था, ग्रन्थ हस्तलिखित रूपों में ही प्राप्त होते थे, अक्षर सर्वथा सुन्दर और स्पष्ट नहीं मिलते, फिर सम्पादक यदि शुद्धाशुद्ध के अपने निजी ज्ञान का सहारा न ले तो क्या करे। किन्तु इस ओर भी श्रेयस्कर नीति यह होगी कि सम्पादक को जो पाठ जिस रूप में मिले हों, मूल आवृत्ति में उन्हें वह ज्यों-का-त्यों रख दें और अपने सुझावों को टिप्पणी के रूप में दे दे। इसका फल यह होगा कि आगे काम करने वालों को सच्चा प्रकाश मिलेगा और शुद्धाशुद्ध के निर्णय में वह नवप्राप्त सामग्री का अधिक विवेकपूर्ण उपयोग कर सकेगा। अपने पूर्व के सम्पादकों द्वारा दी गई टिप्पणीयों का भी वह सच्चा समादर कर सकेगा और जहाँ तक सम्भव होगा उससे पथ-प्रदर्शन भी प्राप्त करेगा।

हस्तलिखित ग्रन्थों के आधार पर तैयार की गई मीराँ पदावली के अभाव के विभिन्न संकेतों ने मुझे इस कार्य की ओर प्रेरित किया। प्रस्तुत पदावली को पाठकों के समझ रखते समय मैंने अनेक विद्वानों की आशाओं और आकाँक्षाओं का भी पूर्ण ध्यान रखा है।

(ख) ''अभी तक पद-संग्रह की हस्तलिखित प्रतियों को खोज कर उनमें कौन से पद किस सम्वत् की लिखी गई प्रति में मिलते हैं व उसका पाठ क्या है, इस तरह का वैज्ञानिक अनुसन्धान और सम्पादन नहीं हुआ है। इधर-उधर से जिसको जितने पद मिले संग्रह करके छपवा दिए और अपनी मति के अनुसार उन पदों का पाठ दे दिया।''

–हिन्दुस्तानी (त्रैमासिक) भाग 19 अंक 4
अक्टू-दिस. 1958 पृ. 68

1. (क) ''भारत की भक्त कवयित्रियों में मीराँबाई की सर्वाधिक प्रसिद्धि है। उनके पदों के अनेक संग्रह प्रकाशित हो चुके हैं पर उनके संग्रह एवं सम्पादन का आधार क्या है, यह सम्पादकों और प्रकाशकों ने अपने ग्रन्थों में स्पष्ट नहीं किया है। अधिकाँश पद-संग्रह लोक-मुख पर प्रचलित भजनों का है पर कहाँ से और किन व्यक्तियों से ये संगृहीत किए गए और इनके गाने वालों की उम्र क्या रही है, इत्यादि बातों पर प्रभाव नहीं डाला। हस्तलिखित प्रतियों से भी जिन पदों

का संग्रह किया गया है वे प्रतियाँ भी कब की, किससे लिखी हुई और कौन-से ग्रन्थालय की है। इसका स्पटीकरण भी प्रायः नहीं किया गया है। राजस्थान गुजरात और उत्तर-प्रदेश से ही मीराँ के पद-संग्रह अधिक निकले हैं पर उन पर की प्रामाणिकता के विषय में निश्चित कुछ नहीं कहा जा सकता। यह तो सभी जानते हैं कि मीराँ के नाम से प्राप्त व प्रचलित प्रत्येक पद सभी मीराँ के रचित नहीं हैं पर उनमें बहुत से पद अन्य कवियों ने मीराँ के नाम से बना कर प्रसिद्ध कर दिए हैं। मीराँ ने कितने व कौन से पद बनाये यह नहीं कहा जा सकता। अब आवश्यकता है मीराँ के पदों के वैज्ञानिक सम्पादन की।

अगरचन्द नाहटा-शोध पत्रिका, वर्ष 16, अंक 3-4, जुलाई-अक्टूबर 1965।

(ख) "वस्तुतः मीराँ के प्रामाणिक पदों के आधार पर ही तथ्यातक्ष्य का निर्धारण किया जा सकता है। अत : पाठालोचन की अभिनत पद्धति पर मीराँ के प्रामाणिक पदों का सम्पादन एवं प्रकाशन अत्यन्त महत्त्वपूर्ण कार्य है।"

—डॉ. कन्हैयालाल सहल

(ग) "मीराँ के पदों के सम्पादन की आवश्यकता है। पदों का वैज्ञानिक वर्गीकरण भी नहीं है।"

—डॉ. रामकुमार वर्मा

मेरी धर्मपत्नी श्री आनन्द कंवर, पुत्री अनुपमा एवं डॉ. चेतना, पुत्र उदितसिंह मेरे इस सास्वत कर्म के सहयोगी एवं प्रेरक रहे हैं। अतः उनके प्रति आभार सहित यह कृति विद्वत समाज को मूल्यांकन हेतु अर्पित करता हूँ।

प्रो. कल्याणसिंह शेखावत

'शिवगंगा'
रातानाड़ा, जोधपुर (राजस्थान)

अनुक्रम

मीराँबाई ग्रन्थावली-2

मीराँबाई का प्रामाणिक पदावली

मीराँबाई सगुण वैष्णव एवं कवयित्री के रूप में अद्यावधि साहित्यिक, धार्मिक तथा ऐतिहासिक जगत में, अत्यन्त प्रसिद्ध रही है। अस्तु, मीराँ पर सम्प्रति साहित्य, भक्ति और इतिहास के विभिन्न विद्वानों ने अपने अध्ययन प्रस्तुत किए हैं। भारत और भारत के बाहर मीराँ पर बहुत विचार हुआ है। मीराँबाई पर काम करने वाले अनेक अध्येताओं के अपने-अपने दृष्टिकोण थे। कुछ लेखकों ने शुद्ध ऐतिहासिक, कुछेक ने विशुद्ध धार्मिक तथा अन्यान्यों ने साहित्यिक उद्देश्य रखकर मीराँबाई सम्बन्धी अपने अध्ययन प्रस्तुत किए हैं। यदि मीराँ सम्बन्धी अध्ययन प्रस्तुतकर्त्ताओं तथा उनके अध्ययन का सरल वर्गीकरण करना चाहें तो निम्न प्रकार से हो सकता है—

1. अध्येता–देश-सीमा के आधार पर

1. भारतीय
2. विदेशी

2. अध्ययन–उद्देश्य के आधार पर

क. (विशुद्ध) धार्मिक अध्ययनकर्त्ता
ख. (शुद्ध) साहित्यिक अध्ययनकर्त्ता
ग. (पूर्णतया) ऐतिहासिक अध्ययनकर्त्ता
घ. धार्मिक एवं साहित्यिक दोनों दृष्टियों से अध्ययनकर्त्ता
ङ. धार्मिक और ऐतिहासिक दृष्टि रखकर अध्ययन करने वाले
च. साहित्यिक तथा ऐतिहासिक उद्देश्य वाले अध्येता
छ. सभी दृष्टियों का सम्मिलित रूप वाले विद्वान।

3. अध्ययन–प्रवृत्ति आधार पर

(अ) केवल मीराँ के जीवनवृत्त तक ही अपने ग्रन्थ को सीमित रखने वाले
(आ) मीराँ काव्य पर ही प्रकाश डालने वाले

(इ) मीराँ के पदों के अतिरिक्त और किसी पर कुछ न कहने वाले
(ई) मीराँबाई के सम्पूर्ण जीवनवृत्त तथा पदों सहित पूर्ण काव्य पर विचार करने वाले।

4. स्थान भेद के आधार पर

(अ) उत्तर भारत के अध्येता और उनके अध्ययन–
1. उत्तर प्रदेश के,
2. राजस्थान के,
3. पंजाब आदि के,

(ब) दक्षिण भारत के–
1. मद्रास
2. उड़ीसा

(स) पूर्वी भारत के–
1. बंगाल के
2. बिहार के

(द) पश्चिमी भारत के–
1. महाराष्ट्र के
2. गुजरात के

1. मीराँ के पद संग्रह

अनेक सम्पादकों ने मीराँबाई के पदों के विभिन्न संकलन साहित्य जगत को भेंट किए हैं। प्रत्येक संकलनकर्त्ता के अपने आधार और प्रस्तुतिकरण का अपना ढंग रहा है, जिसे निम्नतया विभाजित किया जा सकता है–

(क) 1. लिखित परम्परा से प्राप्त सामग्री के आधार पर
2. अलिखित (मौखिक) रूप में प्राप्त पद
3. पूर्व प्रकाशित संकलनों से प्राप्त सामग्री के आधार पर
4. सभी प्रकार के पदों का मिलाजुला संग्रह।

(ख) 1. प्रामाणिकता
2. अप्रामाणिकता।

(ग) 1. केवल मीराँ के पदों के संकलन
2. मीराँ के सम्पूर्ण काव्य के संग्रह
3. मीराँ के साथ-साथ अन्य भक्तों के भी पदों के ग्रन्थ।

2. भाषायी आधार पर

1. केवल स्वदेशी भाषाओं के संग्रह
2. विदेशी भाषाओं के संग्रह
3. सभी भाषाओं के मिलेजुले स्वरूप वाले संकलन।

3. स्थान भेद के आधार पर–यथा–

1. उत्तर प्रदेश के संग्रह
2. गुजरात के संकलन
3. राजस्थान के संग्रह
4. बंगाल के संग्रह आदि।

1. मूल हस्तलिखित ग्रन्थों के प्राप्ति-स्थान–

1. विभिन्न संस्थाओं के पास सुरक्षित ग्रन्थ
   (क) राजकीय संस्थाएँ
   (ख) अर्द्ध राजकीय संस्थाएँ
   (ग) स्वयंसेवी संस्थाएँ।
2. धार्मिक (सम्प्रदायों के) संग्रह
3. व्यक्तिगत संग्रह

गुजरात–

1. विभिन्न संस्थाओं के संग्रह–
   (1.) विद्यासभा भद्र, अहमदाबाद का संग्रह
   (2.) डाही लक्ष्मी लाइब्रेरी नडियाद का संग्रह।
2. धार्मिक संग्रह–
   (1.) राव रणछोड़जी के मन्दिर, द्वारिका का संग्रह।
3. व्यक्तिगत संग्रह–
   (1.) श्री पुरुषोत्तम विश्रामजी भावजी के संग्रह में सुरक्षित प्रतियाँ
   (2.) गुजराती प्रेस में सुरक्षित इच्छाराम सूर्यराम देसाई द्वारा उपलब्ध हस्तलिखित दो ग्रन्थ।

राजस्थान–

1. संस्थाओं के संग्रह–

क. अराजकीय संस्थाएँ–
महाराजा मान सिंह, पुस्तक प्रकाश शोध केन्द्र, गढ़रानगढ़, जोधपुर; अनूप संस्कृत लाइब्रेरी, बीकानेर; चन्द्रमहल पोथी खाना, जयपुर

ख. अर्द्ध राजकीय संस्थाएँ–

(1) राजस्थानी शोध संस्थान, चौपासनी, जोधपुर
(2) भारतीय शोध प्रतिष्ठान, बीकानेर
(3) राजस्थान विश्वविद्यापीठ? उदयपुर

ग. राजकीय संस्थाएँ–

(1.) राजस्थान प्राच्यविद्या प्रतिष्ठान, जोधपुर एवं उसकी शाखाएँ
(2.) अभिलेखागार, बीकानेर

2. धार्मिक संग्रह–

(1.) दादू सम्प्रदाय की हस्तलिखित प्रतियाँ (पं. परशुराम चतुर्वेदी द्वारा उपलब्ध एक पोथी)

3. व्यक्तिगत संग्रह–

(1.) नरोत्तमदास स्वामी का संग्रह
(2.) अगरचन्द नाहटा का संग्रह
(3.) महावीरसिंह गहलोत का संग्रह
(4.) स्व. हरिनारायणजी पुरोहित का संग्रह
(5.) स्व. डॉ. मनोहर शर्मा का संग्रह

महाराष्ट्र–

1. संस्थाओं के संग्रह–
फार्बर्स गुजराती सभा, बम्बई
2. धार्मिक संग्रह–(वारकरी सम्प्रदाय की पोथियाँ)
सन्त नाना साहब सारबरे के संग्रह के हस्तलिखित ग्रन्थ
3. व्यक्तिगत संग्रह
गुजराती प्रेस, बम्बई का संग्रह

उत्तर प्रदेश–

1. संस्थाओं के संग्रह–
नागरी प्रचारिणी सभा, काशी का संग्रह
2. धार्मिक संग्रह–
शिवराजपुर का संग्रह
3. व्यक्तिगत संग्रह–
(1.) ललिता प्रसाद सुकुल द्वारा उपलब्ध प्रतियाँ
(2.) पं. परशुराम चतुर्वेदी का संग्रह
(3.) रघुराज सिंह देव के संग्रह में सुरक्षित हस्तलिखित प्रतियाँ

2. मूल हस्तलिखित ग्रन्थों की प्रतिलिपियाँ–

1. गुजराती प्रेस में सुरक्षित इच्छाराम सूर्यराम देसाई द्वारा उपलब्ध हस्तलिखित ग्रंथों की प्रतिलिपियाँ

2. ललित प्रसाद सुकुल द्वारा प्राप्त डाकोर की पोथी की प्रतिलिपियाँ
3. संगीतराग कल्पद्रुम—कृष्णानन्द
व्यासदेव रागसागर सन् 1842 पृ. सं. 43

3. पूर्व प्रकाशित पदों के आधार पर संकलित संकलन—

	सन्। सम्वत्	पद संख्या
1. मीराँ माधुरी—बाबू बृजरत्नदास	1948	
2. मीराँ पदावली—श्रीमती विष्णु कुमारी 'मन्जु'	1938	201
3. मीराँबाई का काव्य—मुरलीधर श्रीवास्तव	1934	139
4. मीराँ का पद संग्रह—परशुराम चतुर्वेदी	1932	201
5. भजन संग्रह—वियोगी हरि	1931	62
6. मीराँबाई, सहजोबाई, दयाबाई का पद संग्रह—वियोगी हरि	1930	36
7. सिलेक्शन्स आफ क्लासिकल गुजराती लिटरेचर ह. ज. ज. तारापोरवाला		106
8. मीराँबाई भजन भाण्डार अर्थात् मीराँबाई कृत पद रत्न सं. गो. मो. कार्लेकर	1922	352
9. वृहत काव्य दोहन—इच्छाराम सूर्यराम देसाई 10 भागों में सन	1887 से 1911 के बीच	159

4. प्रामाणिकता अप्रामाणिकता के आधार पर—

कुछ संकलनकर्त्ताओं ने अपने पदों की प्रामाणिकता, अप्रामाणिकता पर विचार प्रस्तुत किए हैं जैसे—प्रो. मुरलीधर श्रीवास्वत (मीराँ दर्शन), श्रीमती पद्मावती शबनम (मीराँ वृहत् पद संग्रह), ललिता प्रसाद सुकुल (मीराँ स्मृति ग्रन्थ) आदि, किन्तु इस पर भी उनकी प्रामाणिकता असंदिग्ध नहीं हो पाती।

5. भाषायी आधार पर

केवल स्वदेशी भाषाओं के संग्रह जैसे राजस्थानी, ब्रज, गुजराती, पंजाबी आदि भारतीय भाषाओं में लिपिबद्ध संग्रह। यद्यपि भारत की अधिकांश भाषाओं में मीराँ के पदों का संकलन किया गया है और मीराँ के पदों को या तो उन भाषाओं में रूपान्तरित कर दिया गया है अथवा स्थान विशेष पर उपलब्ध मीराँ के उन पदों को संकलित कर लिया गया है। दक्षिण की उड़िया, तेलगू, कन्नड़, मलयालम आदि भाषाओं में मीराँ के अनेक पद प्राप्त होते हैं। ऐसे पदों के कुछ संकलन भी प्राप्त हैं। इसी प्रकार बंगला, पंजाबी और मराठी आदि अनेक भाषाओं में

मीराँ के पद उपलब्ध हैं जिनमें से अनेक पद प्रकाशित भी हुए हैं। बंगाल में तो भजन शब्द ही मीराँ के भजनों के लिए रूढ़ हो गया है। बंगला भाषा में आत्मविभोर होकर तन्मयता से गाये गये मीराँ के पदों का श्रवण करने का सौभाग्य लेखक को प्राप्त हुआ है।

पंजाबी भाषा में भी 'गुरुग्रन्थ साहब' में मीराँ के पदों का पंजाबी स्वरूप प्राप्त होता है।

6. विभिन्न स्थानों के पद संग्रह–

1. गुजरात में प्रकाशित संकलन–
   - क. वृहत काव्य दोहन
   - ख. प्राचीन काव्य सुधा
   - ग. मीराँबाई नां भक्ति गीतो
   - घ. मीराँबाई नां भजनो आदि अनेक।
2. उत्तर प्रदेश में प्रकाशित संकलन–

बनारस–

- क. मीराँ वृहद्-पद संग्रह, बनारस–श्रीमती पद्मावती शबनम
- ख. मीराँ माधुरी, बनारस–बाबू बृजरत्नदास
- ग. मीराँ जीवनी और काव्य, बनारस–महावीरसिंह गहलोत
- घ. श्री भक्ति शिरोमणि मीराँबाई के भजन, बनारस–विश्वेश्वर प्रेस

प्रयाग–

- क. मीराँबाई, सहजोबाई, दयाबाई का पद संग्रह–वियोगी हरि
- ख. मीराँबाई की पदावली–पं. परशुराम चतुर्वेदी
- ग. मीराँबाई का काव्य–श्री मुरलीधर श्रीवास्तव
- घ. मीराँबाई की शब्दावली–पं. सुधाकर द्विवेदी

काशी–

- क. महिला मृदुवाणी–मुन्शी देवी प्रसाद
- ख. मीराँबाई का जीवन चरित्र–कार्तिक प्रसाद खत्री

मेरठ–

मीराँबाई के भजन–पं. ईश्वरी प्रसाद रामचन्द्र

लखनऊ–

मीराँबाई के भजन–नवलकिशोर प्रेस

आगरा–

मीराँ मन्दाकिनी–नरोत्तमदास स्वामी

लाहौर (स्वतन्त्रता से पूर्व)–

मीराँ पदावली—श्रीमती विष्णु कुमारी 'मन्जु'

3. राजस्थान के संकलन—

भीलवाड़ा—

क. मीराँ सुधा सिन्धु—स्वामी आनन्दस्वरूप

ख. मीराँ सुधालहरी—

उदयपुर—

क. संगीत राग कल्पद्रुम—कृष्णानन्द व्यास, देवसागर

ख. मीराँ दर्शन—ठा. लालसिंह शक्तावत

जोधपुर—

मीराँ बृहत्पदावली भाग 1—स्व. पुरोहित हरिनारायणजी

मीराँ वृहत्पदावली भाग 2—कल्याणसिंह शेखावत

4. महाराष्ट्र (बम्बई) के संकलन—

क. गाथा पंचक—त्र्यम्बक हरी आप्टे

ख. मीराँबाई भजन भाण्डार अर्थात
मीराँबाई कृत पद संग्रह—श्री गोविन्दराम मोराव कार्लेकर

ग. सिलेक्सन्स फ्राम क्लैसिकल गुजराती लिटरेचर—ह.ज.ज. तारापोरवाला

घ. मीराँबाई—सत्संग मण्डल, नारायण मन्दिर, बम्बई

5. बंगाल के संकलन—

क. मीराँ स्मृतिग्रन्थ—बंगीय हिन्दी परिषद्, कलकत्ता

ख. मीराँबाई आव उदेपुर—श्री उपेन्द्रनाथ मुखोपाध्याय

सम्प्रति उपलब्ध लिखित पद संकलनों के प्राप्ति स्रोत—

1. मूल हस्तलिखित ग्रन्थ
2. मूल हस्तलिखित ग्रन्थों की प्रतिलिपियाँ
3. मौखिक परम्परा से लिपिबद्ध ग्रन्थ।

कालभेद के अनुसार—

1. विक्रम की 16वीं शताब्दी के संकलन
2. विक्रम की 18वीं शताब्दी के संकलन
3. विक्रम की 19वीं शताब्दी के संकलन
4. विक्रम की 20वीं शताब्दी के संकलन

उपर्युक्त वर्गीकरण के आधार पर मीराँ के प्राप्त पद संग्रहों का परिचय निम्नानुसार दिया जा सकता है—

1. हस्तलिखित प्रतियों से संकलित संकलन–

ग्रन्थनाम	सम्वत्	पद संख्या
1. मीराँ दर्शन–प्रो. मुरलीधर श्रीवास्तव	1956	103
2. मीराँ स्मृति ग्रन्थ–ललिता प्रसाद सुकुल	1949	103
3. प्राचीन काव्य सुधा–छगनराम विद्याराम रावल 5 भागों में		32
4. मीराँ मन्दाकिनी–नरोत्तमदास स्वामी	1987	161
5. मीराँबाई की शब्दावली–वैलडियर प्रेस	1909	38
6. गाथा पंचक–त्र्यम्बक हरी आप्टे	1908	156
7. मीराँबाई का जीवन चरित्र–कार्तिक प्रसाद खत्री	1901	21

2. अलिखित परम्परा से प्राप्त पद संग्रह–

मौखिक परम्परा से संग्रहीत पद संग्रह भी प्राप्त होते हैं। जैसे–

	सन्। सम्वत्	पद संख्या
1. मीराँबाई के भजन–नवलकिशोर प्रेस से प्रकाशित	1905	प्र. बार
2. मीराँबाई के भजन–ईश्वरी प्रसाद रामचन्द्र	1913	द्वि.सं.
	1897	मीराँ के 20 भजन

अद्यावधि प्रकाशित मीराँ के पदों के विभिन्न संकलन एवं उनकी कसौटियों की परीक्षा–

मीराँबाई के पदों के अनेक संकलन अब तक प्रकाशित हो चुके हैं। प्रत्येक संकलनकर्त्ता अथवा सम्पादक ने अपने संकलन का कुछ कसौटियों के आधार पर प्रस्तुतिकरण किया है, जिनमें से निम्नलिखित मुख्य कही जा सकती हैं। यहाँ मीराँ के मुख्य-मुख्य संकलनों का परिचयात्मक विवरण देकर, कसौटियों की परीक्षा करने का प्रयास किया जा रहा है–

1. मौखिक परम्परा की कसौटी
2. हस्तलिखित ग्रन्थों की कसौटी–
   (क) केवल मीराँ के पदों से युक्त हस्तलिखित पोथियाँ
   (ख) अन्य सन्तों तथा भक्तों के साथ मीराँ के पदों वाले हस्तलिखित ग्रन्थ
   (ग) अन्य सन्तों द्वारा मीराँ के नाम पर तथा नाम से बनाए गए पदों वाले हस्तलिखित ग्रन्थ

3. अपने से पूर्व प्रकाशित संग्रहों से निर्मित संग्रह
4. लिखित तथा मौखिक दोनों परम्पराओं का एक साथ निर्वाह
5. बिना किसी आधार वाले संकलन अर्थात् संकलनकर्त्ताओं ने कसौटियाँ दी ही नहीं हैं।

प्रमुख संकलन

1. मीराँ मन्दाकिनी–

संकलनकर्त्ता एवं सम्पादक–श्री नरोत्तमदास स्वामी

संशोधक–श्री रामेश्वर प्रसाद अग्रवाल, बी.ए.

प्रकाशक–गयाप्रसाद एण्ड सन्स, आगरा; मूल्य 2 रु.; द्वितीय संस्करण। पृ. संख्या 125, सम्वत् 1987 (जीवनी, चुने हुए पद-टिप्पणियों सहित) पद संख्या 161; पदों का वर्गीकरण–तीन धाराओं में, प्रथम धारा, द्वितीय धारा एवं तृतीय धारा। प्रत्येक धारा में पदों की संख्या अलग-अलग है। प्रथम धारा में 97 पद हैं, द्वितीय धारा में 31 पद एवं तृतीय धारा में 43 पद हैं।

पदों का आधार–एक प्राचीन हस्तलिखित ग्रन्थ दिया है। प्रस्तावना में मीराँ की जीवनी प्रस्तुत की गई है जिसमें ऐतिहासिक सामग्री देने का भी प्रयास किया गया है। साथ ही मीराँ की रचनाएँ, मीराँबाई की कविता, मीराँबाई की कविता की भाषा, मीराँ का रहस्यवाद आदि शीर्षक देकर अन्त में 'राजस्थानी व्याकरण की विशेषताएँ' भी बताई गई हैं।

मीराँ के पदों का राजस्थानी रूप ही प्रस्तुत करने का प्रयास किया गया है जिसके लिए कुछ पदों की पंक्तियों को मूल पुस्तक से भिन्न भी प्रस्तुत किया गया है। इन संकलित पदों में राजस्थानी व्याकरण की विशेषताओं को खोजने का प्रयास भी किया गया प्रतीत होता है। राजस्थानी भाषा में प्रचलित मीराँ के पदों से थोड़ा भिन्न, साहित्यिक राजस्थानी भाषा का रूप इस संकलन में दृष्टिगोचर होता है।

इस संग्रह का साहित्यिक क्षेत्र में एक विशेष महत्त्व अब तक रहा है और आज भी इसलिए है कि इसको ही आधार बनाकर परवर्ती संकलनकर्त्ताओं, सम्पादकों एवं लेखकों ने अपने संकलनों का निर्माण किया है। किन्तु इसमें एक ही बात खटकती है कि स्वामीजी ने उस हस्तलिखित प्रति के लिपिकाल, प्राप्ति-स्रोत एवं प्राप्ति-स्थान का पूरा ब्यौरा नहीं दिया जिसके कि आधार पर इस संकलन को बनाया गया है। साथ ही मूल पदों में साहित्यिक राजस्थानी भाषा का आरोपण वास्तविक पदों का महत्त्व कम कर देता है। डॉ. छोटेलाल प्रभात ने भी अपने 'शोध प्रबन्ध' में इस संकलन को महत्त्वपूर्ण स्थान दिया है। इसे लिपिकार की मातृभाषा तथा संकलन का भाषा-क्षेत्र–वर्गीकरण के अन्तर्गत

रखा है। संकलन में राजस्थानी पद निम्न प्रकार से रखे गये हैं।

प्रथम धारा में राजस्थानी पद–97 (1 से 97 तक)

द्वितीय धारा में राजस्थानी पद–31 (97 से 128 तक)

तृतीय धारा में राजस्थानी पद–43 (128 से 161 तक)

2. मीराँ सुधा-लहरी–

लेखक, संग्राहक-सम्पादक–स्वामी आनन्द स्वरूप जी

प्रकाशक–श्री मीराँ, प्रकाशन समिति–भीलवाड़ा (राजस्थान); मूल्य 3 रु.

प्रकाशन–विक्रमी सम्वत् 2014 (प्रथमावृत्ति); पृ. सं. 191 (श्री मीराँजी की जीवनी, उनके चुने हुए पदों का संग्रह व फुटकर लेख आदि) पुस्तक दो भागों में विभक्त है–

1. मीराँ की जीवनी से सम्बन्धित
2. मीराँ की पदावली से पूर्ण

पद संख्या–पदों का वर्गीकरण–भावाभिव्यक्ति के आधार पर जैसे–विरह के पद 34, स्वजीवन के पद 6, प्रार्थना विनय के पद 21, निश्चय के पद 14, वर्षा एवं प्रेमालाप के पद 13, दर्शनानन्द के पद 16, ब्रज भाव के पद 32, सत्संग उपदेश के पद 10, अभिलाषा के पद 3, सतगुरु महिमा के पद 11, नाम माहात्म्य के पद 6, होरी के पद 18, जोगी के पद 16, मुरली के पद 9, प्रकीर्ण पद 7।

प्रारम्भ में मंगलाचरण किया गया है (संस्कृत ग्रन्थों के अनुसार); फिर प्राक्कथन प्रस्तुत किया गया है; तत्पश्चात् मीराँ क्या है–पर भावपूर्ण अभिव्यक्ति प्रस्तुत की गई है।

पदों का आधार–पदों का आधार संग्रह में नहीं दिया गया है पर लगता है जैसे पदों का आधार मौखिक परम्परा ही है। कुछ पद हस्तलिखित ग्रन्थों एवं इस संग्रह से पूर्व प्रकाशित संकलनों से भी लिए गए हैं।

संग्रह के पदों पर विचारपूर्ण दृष्टि–

इस संग्रह के पदों का वर्गीकरण वर्णन-क्रम शैली में परिचयात्मक ढंग से किया जा सकता है किन्तु पदों को संकलित करते समय कोई वैज्ञानिक दृष्टि नहीं रखी गई है। एक भक्त हृदय ने, जो भी मीराँ के नाम से या मीराँ की छाप वाले पद मिले, उन्हें संकलित कर दिया है। प्रामाणिकता-अप्रामाणिकता की ओर भी कोई ध्यान नहीं दिया गया है किन्तु साथ ही संकलनकर्त्ता ने 'राजस्थानी पदों को ही प्रामाणिकता के अधिक समीप मानकर, पदों के राजस्थानी रूपों अथवा राजस्थानी शब्द-बहुल पदों को, महत्त्व दिया है। प्रक्षिप्त अंशों की ओर ध्यान नहीं दिया है अतः प्रक्षिप्त माने जाने वाले पद भी उसी रूप में इस संग्रह में

विद्यमान हैं। इस संग्रह के पद, संकलनकर्त्ता की इस पुस्तक के बाद प्रकाशित हुई 'मीराँ सुधा सिन्धु' से, छाँटकर एवं चुनकर दिए गए हैं।

3. मीरा सुधा सिन्धु–

सम्पादक–स्वामी आनन्द स्वरूप जी; प्रकाशक–श्री मीराँ प्रकाशक समिति, भीलवाड़ा, राजस्थान; मूल्य 13 रु.; प्रकाशन–विक्रमी सम्वत् 2014 (सन् 1957) प्रथमावृत्ति; पृ.सं. 1004। यह संग्रह मीराँजी की जीवनी और काव्य का वृहत संग्रह है।

पद संख्या–1311, पदों का वर्गीकरण–भावाभिव्यक्ति के आधार पर। यथा–प्रार्थना, विनय, स्वजीवन, प्रकीर्ण पद, जोगी भाव आदि। 1004 पृष्ठों से युक्त इस बड़े आकार वाले ग्रन्थ में मीराँ के 1312 पद हैं।

विभाग संख्या	विभाग नाम	पद संख्या	विभाग संख्या	विभाग नाम	पद संख्या
1	विरह	162	9	सत्संग आदेश	96
2	स्वजीवन	81	10	अभिलाषा	16
3	प्रार्थना और विनय	117	11	सत्गुरु महिमा	22
4	निश्चय	93	12	नाम माहात्म्य	24
5	वर्षा	41	13	होरी	47
6	प्रेमालाप	65	14	जोगी	33
7	दर्शनानन्द	65	15	मुरली	38
8	ब्रजभाव	378	16	प्रकीर्ण	34

इस तरह इन 16 विभागों में विभक्त 1312 में से गुजराती भाषा के 267 पद हैं, ब्रज के? और राजस्थानी भाषा के? पद हैं। अधिकांश पद राजस्थानी भाषा के हैं।

पदों का आधार–सभी प्राप्त स्रोतो से पदों का संकलन किया गया है पर मुख्य आधार मौखिक परम्परा ही कहा जा सकता है। साथ ही कुछ हस्तलिखित ग्रन्थों एवं पूर्व प्रकाशित लिखित व संग्रहीत पद संग्रहों को दिया जा सकता है। यद्यपि सम्पादक ने पदों के आधारों का कोई उल्लेख नहीं किया है किन्तु अध्ययन के आधार पर इस संकलन को एक मिलाजुला संकलन कहा जा सकता है। वैसे यह संकलन 'मीराँ सुधा-लहरी' का ही परिवर्द्धित रूप है।

4. मीराँ की जीवनी और काव्य–

सम्पादक–महावीर सिंह गहलोत; प्रकाशक–पुस्तक सदन, ज्ञानवापी,

बनारस-1; मूल्य 1 रु.; प्रकाशन–सम्वत् 2002 विक्रमी; अष्टम संस्करण, पृ. सं. 103; संक्षिप्त संस्करण। जीवनी और काव्य-विवेचन–पदों सहित। पुस्तक दो भागों में विभक्त है–1 जीवनवृत्त और 2 पद लहरी।

पदों की संख्या–कुल 108, इनमें 36 अब तक प्राप्त पद भी दिए गए हैं।

पदों का आधार– सम्पादक ने लिखा है "अधिकांश में हस्तलिखित संग्रहों या अन्य स्थलों से एकत्र किए गए हैं"। किन्तु हस्तलिखित संग्रहों का पूर्ण उल्लेख और विस्तृत सूचना नहीं दी गई है। साथ ही अन्य स्थलों का भी ब्यौरेवार वर्णन नहीं किया गया है। अन्य पद विविध ग्रन्थों से संग्रहीत हैं।

पदों का वर्गीकरण–मूल रूप से पदों का भाषाई आधार पर वर्गीकरण किया गया है जिसे स्थान विशेष और लिपिकारों की मातृभाषा तथा संकलन के भाषा क्षेत्र के आधार पर वर्गीकृत भी कह सकते हैं। सम्पादक ने 'जीवनवृत्त' में लिखा है कि उसने 'पाठभेद सहित' मीरांँ द्वारा कहे जा सकने वाले, जो 360 के लगभग पद एकत्रित किए हैं उन्हीं में से चुने हुए 108 पद प्रस्तुत पुस्तक में दिए गए हैं जिन्हें वे 'मीरांँ के काव्य-सौष्ठव के परिचायक' मानते हैं। इन पदों के साथ-साथ कोष्ठक में शब्दार्थ भी दिए गए हैं। सम्पादक का यह लिखना है कि मीरांँ के नाम से अन्य अनेक सन्तों व भक्तों के पदों का संग्रह करके हमने मीरांँ के जीवनवृत्त के आधार पर दन्त-कथाओं का त्याग करते हुए जब पदों को शुद्ध करना चाहा तो लगभग 150 पद छंट गए। हिन्दी के अन्य कवियों के (जैसे कबीर, नामदेव, सूर, नरसी, धर्मदास आदि) लगभग 30 पद मीरांँ के नाम से जुड़े पाए गए।

जीवन वृत्त– के अन्तर्गत–व्यक्तित्व, नाम, वंश, जन्म-सम्वत्, बाल्यकाल, विवाह, विवाहित जीवन, वैधव्य, विष-पान, मेवाड़-त्याग, वृन्दावन-वास, द्वारका-वास, अत, मृत्युतिथि, निर्धारित तिथियाँ तथा मीरांँ सम्बन्धी दन्त-कथाएँ प्रस्तुत की गई हैं। 'मीरांँ का काव्य' के अन्तर्गत ग्रन्थ निर्णय, पदावली, युगगुरु, प्रेम साधना, वर्ण्य-विषय, अलंकार भाषा और छन्द आदि पर विवेचन प्रस्तुत किया गया है।

मीरांँ के पदों की दृष्टि से इस पुस्तक का अब तक मूल्याँकन किया जाता रहा है यद्यपि लेखक प्रामाणिक पद प्रस्तुत नहीं कर सका। मीरांँ के जीवनवृत्त पर विवेचन अवश्य किया गया है किन्तु यह केवल पिष्टपेषण ही कहा जायेगा।

5. मीरांँ स्मृति ग्रन्थ–

लेखक, संग्राहक-सम्पादक–श्री ललिताप्रसाद सुकुल; प्रकाशक–बंगीय हिन्दी परिषद् कलकत्ता; मूल्य 25 रु.; प्रकाशन–विक्रमी सम्वत् 2006; प्रथमावृत्ति सं. 2006; पृ. सं. 271 ̄ 59 =330।
ग्रन्थ दो भागों में विभाजित किया जा सकता है–1 जीवनी, 2 पदावली।

ग्रन्थ परिचय—यह ग्रन्थ मीराँ काव्य के अधिकारी समझे जाने वाले विद्वानों का निबन्ध संग्रह है जिसमें 18 निबन्ध, भूमिका और काव्याँजलि, पदावली एवं परिशिष्ट से युक्त है। मीराँ के कुछ भावपूर्ण चित्र भी दिए गए हैं जिन्हें परिषद् ने श्री महावीर प्रसाद से बनवाया है। यह ग्रन्थ 'भक्ति और श्रद्धा' की उच्च भावना से युक्त देश के साहित्य कोष की उत्तम भेंट है। भूमिका में मीराँ की जीवनी पर तत्कालीन परिस्थितियों तथा सामाजिक एवं धार्मिक वातावरण के सन्दर्भ में प्रकाश भी डाला गया है। निबन्ध तत्कालीन प्राप्त सामग्री के आधार पर अत्यन्त परिश्रम एवं लगन से लिखे गए हैं।

पदों की संख्या—कुल पद 172

ठाकोर की हस्तलिखित प्रति के आधार पर पद 69

काशी की हस्तलिखित प्रति के आधार पर पद 103

पदों का आधार—श्री ललिताप्रसाद सुकुल ने अपनी शोध यात्राओं में प्राप्त दो हस्तलिखित प्रतियों के आधार पर इन पदों को प्रस्तुत किया है। उनके अनुसार यह पदावली प्रामाणिक कही जा सकती है क्योंकि एक तो दोनों प्रतियाँ महत्त्वपूर्ण हैं, दूसरा इन प्रतियों के प्राप्ति स्रोत अत्यन्त महत्त्वपूर्ण हैं। इन प्रतियों का लिपिकाल क्रमशः विक्रमी सम्वत् 1642 (डाकोर की प्रति) तथा विक्रमी सम्वत् 1727 (काशी की प्रति) है।

इस तरह पदों का आधार हस्तलिखित प्रतियाँ हैं।

उल्लिखित हस्तलिखित प्रतियों के प्राप्ति स्रोत—सन् 1934 दिसम्बर को डाकोर (गुजरात) में श्री गोवर्द्धनदास से भेंट तथा उन्हीं के व्यक्तिगत संग्रह से मीराँबाई के पदों की दो प्रतियों की प्राप्ति हुई। दोनों प्रतियाँ देवनागरी मिश्रित गुजराती लिपि में थीं। एक की तिथि विक्रमी सम्वत् 1642 थी और दूसरी की, जिसमें नागरी लिपि के अक्षर कम थे और गुजराती के अधिक, विक्रमी सम्वत् 1805 की थी। 1642 वाली प्रति में केवल 69 पद थे और 1805 वाली प्रति में 103 पद। सुकुल जी को सन् 1924 तक लगभग 16 हस्तलिखित संग्रह देखने में आए। 4 काशी में, 2 कानपुर में, 2 रायबरेली में, 3 मथुरा में और शेष 5 उदयपुर और जोधपुर के निवासी कुछ साहित्यक मित्रों से प्राप्त। किन्तु ये सभी प्रतियाँ प्रायः 18वीं शताब्दी की थीं। इन गोवर्द्धन जी के पूर्वज द्वारकाधीश के मन्दिर के प्रधान सेवकों में से थे इसलिए यह प्राप्ति स्रोत भी महत्त्वपूर्ण था।

कालक्रम से इन प्रतियों का यद्यपि आज भी महत्त्व है किन्तु इन प्रतियों के न तो अब तक दर्शन हुए हैं तथा न ही कोई 'फोटोप्लेट' देखने को मिली है। इन प्रतियों के आधार पर दिए गए पद आज भी 'मीराँ जगत' में स्वीकार्य और प्रसिद्धि न पा सके हैं। इन पदों में 'ड' को जिस प्रकार प्रस्तुत किया गया है वैसा रूप राजस्थानी भाषा में प्रचलित नहीं रहा और न ही यह रूप गुजराती

भाषा में है। अतः 'ड' प्रधान इन प्रतियों पर आज भी संशय है और इन पदों को प्रामाणिक .नहीं माना जाता।

6. मीराँ दर्शन–

सम्पादक–ठा. लालसिंह शक्तावत, बी.ए., एल-एल.बी; प्रकाशक–देवसिंह शक्तावत; मूल्य 80 पैसे; प्रकाशन–सन् 1965; 10वां संस्करण; पृ. सं. 94।

यह पुस्तक दो भागों में विभक्त है– 1 मीराँबाई की जीवनी
2 श्री मीराँ भजनमाला

पदों की संख्या–151

पदों का आधार–मीराँबाई के पदों की अन्य प्रकाशित पुस्तकों में से लेकर श्री गोवर्द्धन जी भट्ट द्वारा लाई गई डाकोर की प्रति के आधार पर, शुद्धि की गई है।

पदों का वर्गीकरण–इस संग्रह में पदों का अकारादि क्रम से वर्गीकरण किया गया है। मीराँ के नाम से अन्य प्रकाशित संग्रहों में मिले पदों को अपने ढंग से चुनकर, उनकी डाकोर की हस्तलिखित प्रति से शुद्धि के पश्चात् पद के प्रारम्भ के पहले अक्षर को लेकर अकारादिक्रम से पदों का विभाजन किया गया है। 'भजन परिचय' में सम्पादक ने केवल 124 पद इस संस्करण में रखने का उल्लेख किया है किन्तु पद 151 संकलित हैं।

पदों की भाषा–इस संग्रह में केवल राजस्थानी पदों को ही विशेष महत्त्व दिया गया है क्योंकि सम्पादक की ऐसी मान्यता है कि "साधना काल के प्रायः मीराँबाई के मुख्य भजन वे ही हैं जो उन्होंने मेडता और चितौड़ निवास के समय में गाए हैं। ये समस्त भजन राजस्थानी में ही होने चाहिए। अतएव मैंने अधिकतम राजस्थानी भाषा के चुने हुए पद प्रस्तुत करने का प्रयत्न किया है।"

पदों का संग्रह तैयार करते समय, प्रामाणिक हस्तलिखित प्राचीन प्रति के न मिलने, मौलिक गाये जाने वाले भजनों में कई कारणों से बड़ा हेरफेर होने, प्रक्षिप्त अंशों के जुड़ने, प्रसिद्ध भक्तों द्वारा रचित पदों की कड़ियाँ उठाकर जोड़ लेना और अन्त में 'मीराँ के प्रभु गिरधर नागर' की छाप से गा देना, सम्प्रदायों द्वारा पदों में हेरफेर करने आदि सभी बातों का सम्पादक को पूरा ध्यान है किन्तु यह दूसरी बात है कि वे अपने पद संग्रह में सर्वत्र कथित कसौटी का निर्वाह नहीं कर पाए हैं।

श्रद्धालु भक्तों की माँगों को पूरा करने के लिए इस पुस्तक का दसवाँ संस्करण निकालना पड़ा होगा।

यद्यपि ऐतिहासिक एवं निर्णायक दृष्टि से इस छोटी-सी पुस्तक का कोई विशेष महत्त्व नहीं है किन्तु एक सुशिक्षित प्रतिष्ठा प्राप्त मीराँ के अनन्य भक्त

की रचना होने से इसका धार्मिक महत्त्व अवश्य है, जिसका कथन है कि आज भी मुझे मीराँ के दर्शन होते हैं।

7. मीरा वृहत् पद संग्रह–

सम्पादिका–पद्मावती शबनम; प्रकाशक–लोकसेवक प्रकाशन, बुलानाला, बनारस; मूल्य–6 रु.; प्रकाशन–विक्रमी सम्वत् 2009; प्रथम संस्करण; पृ.सं. 325।

प्रस्तुत पुस्तक मूल रूप से मीराँ के पदों का संग्रह है जिसमें प्राक्कथन में मीराँ की जीवनी पर भी संक्षिप्त रूप से प्रकाश डाला गया है। पदों के आधार पर ही पुस्तक को दो भागों में विभक्त किया गया है–

1 जीवनी खण्ड

2 उपासना खण्ड

पदों की संख्या–इस संग्रह में पदों की संख्या 590 है। इस संग्रह में अनेक पदों के पद्यान्तर भी दिए गए हैं।

पदों का आधार–सम्पादिका के शब्दों में–"विभिन्न प्राप्त संग्रह जिनकी सूची, मीराँ : एक अध्ययन में दे दी गई है, इन पदों के संग्रह का मूल आधार रहे हैं।" श्री सूर्यनारायण चतुर्वेदी (जयपुर) द्वारा प्राप्त 200 पद, श्री परशुराम चतुर्वेदी द्वारा (राजस्थान के किसी दादू पन्थी सन्त के हस्त लिखित संग्रह से प्राप्त) प्रेषित 62 पद जिनमें से 50 पद सम्पादिका के संग्रह में थे, अर्थात् केवल 12 पद नवीन परशुरामजी ने भेजे। कुछ पद लोकगीत परम्परा से भी प्राप्त हुए हैं; ऐसे पद कुल 14 हैं। लोकगीत परम्परा से प्राप्त सभी पद संग्रह में वर्तमान किसी न किसी पद का गेय रूपान्तर भाव ही सिद्ध हुए हैं।

सम्पादिका का यह भी निवेदन है कि "इस संग्रह में लिखित व मौखिक परम्परा से प्राप्त मीराँ के नाम पर प्रचलित सभी पदों को एकत्रित करने का प्रयास किया गया है फिर भी बहुत सम्भव है कि और भी कुछ ऐसे पद प्राप्त हो सकें जो इस संग्रह में नहीं आ सके हैं।"

पदों का वर्गीकरण–प्रस्तुत संग्रह में भाव और भाषा के आधार पर ही पदों का वर्गीकरण किया गया है। वैसे विषय सूची में पदों का वर्गीकरण निम्नांकित ढंग से किया गया है–

जीवन खण्ड–मतभेद, वियोग भक्ति, संघर्षाभिव्यक्ति, मिलन और बधाई, समर्पणद्योतक पद, दासी और 'जन' प्रयोगयुक्त पद।

उपाख्यान खण्ड– 1 वैष्णवद्योतक पद–निर्वेदाभिव्यक्ति, पौराणिक गाथाएँ, राधा-वर्णन, बाँसुरी-वर्णन।

2 नाथ (सम्प्रदाय) प्रभावद्योतक पद।

3 सन्त मत प्रभावद्योतक पद।

इन सभी खण्डों उपखण्डों में भाषा की भिन्नता को ध्यान में रखा गया है तथा प्रत्येक खण्ड उपखण्ड में विविध भाषाओं जैसे राजस्थानी, ब्रज, गुजराती एवं खड़ी बोली के साथ ही मिश्रित भाषाओं तथा मिश्रित बोलियों में प्राप्त पदों को दिया गया है।

पुस्तक परिचय—प्रारम्भ में भूमिका और प्राक्कथन दिए गए हैं। भूमिका डॉ. कृष्णलाल ने लिखी है तथा प्राक्कथन सम्पादिका ने। प्राक्कथन में सम्पादिका ने मीराँबाई की संक्षिप्त जीवनी सहित, इस संग्रह के पदों का आधार, विवेचना तथा प्रक्षिप्त अंशों की समस्याओं एवं इस संग्रह की कठिनाइयों का उल्लेख भी किया है।

पदों की भाषा—इस संग्रह में राजस्थानी भाषा में प्राप्त पदों को विशेष महत्त्व दिया गया है क्योंकि सम्पादिका की ऐसी मान्यता है कि "राजस्थान में ही मीराँ ने जन्म लिया और राजस्थान में ही उनका अधिकांश जीवन व्यतीत हुआ अतः अधिकांश पदों का शुद्ध राजस्थानी भाषा में पाया जाना ही युक्तिसंगत है। फिर भी पुरानी राजस्थानी और आधुनिक राजस्थानी में गहरा भेद है। अतः राजस्थानी में प्राप्त पदों की भाषा की शुद्धता पुरानी राजस्थानी के माप पर ही निर्धारित की जा सकती है।"

इस संग्रह में अनेक पदों का पाठान्तर प्रस्तुत किया गया है तथा पद में आए विशेष शब्दों और प्रसंगों पर पद के अन्त में विचारपपूर्ण अभिव्यक्ति भी की गई है। इसके साथ ही पदों में आए कठिन लगने वाले शब्दों का शब्दार्थ भी प्रस्तुत किया गया है। पदों की प्रामाणिकता-अप्रामणिकता पर, प्राप्त ऐतिहासिक और साहित्यिक सामग्री के सन्दर्भ में, विचार किया गया है।

संग्रह की कमियाँ—इस संग्रह में पदों की अकारादिक्रम में सूची नहीं दी गई है अतः आवश्यक पद की खोज में बहुत समय लगता है।

यद्यपि इसे 'वृहत् पद संग्रह' नाम दिया गया है किन्तु इसमें अनेक महत्त्वपूर्ण पद नहीं हैं।

8. मीराँबाई की पदावली—

सम्पादक—परशुराम चतुर्वेदी; प्रकाशक—हिन्दी साहित्य सम्मेलन, प्रयाग; मूल्य 3 रु 50 पैसे; प्रकाशन—शक सं. 1883; सप्तम संस्करण; पृ.सं. 262।

प्रस्तुत पुस्तक 'अध्ययनशील विद्यार्थियों' के लाभ तथा प्रामाणिकता एवं अध्ययनशीलता के अभावों को ध्यान में रखकर लिखी गई है। पुस्तक तीन भागों में विभाजित है। मूलरूप से यह पुस्तक 'मीराँबाई की पदावली' ही है। भूमिका में मीराँ के युग एवं जीवनी पर प्रकाश डाला गया है। द्वितीय भाग में मूलपाठ एवं पाठान्तर और तृतीय भाग में टिप्पणियाँ, प्रसंग-परिचय, परिशिष्ट अन्तरकथाएँ,

सहायक साहित्य आदि-आदि सामग्री दी गई हैं।

पद—इस संग्रह में मीराँ के 2-2 पद दिए गए हैं। राग-रागिनियों सहित मीराँ के प्रामाणिक पद देने का प्रयास किया गया है। कहीं पाठान्तर भी प्रस्तुत किए गए हैं।

पदों का आधार—जहाँ कहीं से पद मिले, ले लिए गए प्रतीत होते हैं और उन सभी पदों से ये पद प्रकाशित किए गए हैं। सम्पादक ने अपनी ओर से पदों का आधार नहीं दिया है। परिशिष्ट में सम्पादक ने 18 (कदाचित संदिग्ध) पदों को भी दिया है। पदों के पाठान्तर एवं शब्द टिप्पणियाँ, उपमा, अलंकार आदि देकर संग्रह को उत्कृष्ट बनाने के प्रयास किए गए हैं। किन्तु यह पाठ स्वीकार करने में सम्पादक ने किस कसौटी से चयन किया, कोई संकेत नहीं दिया है।

पदों का वर्गीकरण—पदों का वर्गीकरण मुख्य रूप से भावाभिव्यक्ति के आधार पर किया गया लगता है किन्तु साथ में बाललीला, बृजभूमि, संसार, स्वजनों से मतभेद, अपना मार्ग, स्पष्टोक्ति आदि उपविभाग भी किए गए हैं।

पदों की भाषा—सम्पादक ने मीराँ के पदों की मुख्य तीन भाषाएँ मानी हैं—राजस्थानी, ब्रज एवं गुजराती। इनमें भी राजस्थानी भाषा का महत्त्व स्वीकारा गया है। इसके साथ ही वे इन पदों में पंजाबी, खड़ी बोली एवं 'पूरवी' तक का न्यूनाधिक सम्मिश्रण मानते हैं।

9. मीराँ दर्शन—

सम्पादक—प्रो. मुरलीधर श्रीवास्तव; प्रकाशक—साहित्य भवन प्रा. लिमिटेड, इलाहाबाद; मूल्य-ढाई रुपए; प्रकाशन—सन् 1956 ई.; प्रथम संस्करण; पृ. 165।

मीराँ की पदावली की प्रामाणिकता, उनकी भक्ति के स्वरूप आदि प्रश्नों पर नए सिरे से समीक्षा का लक्ष्य रखकर इस पुस्तक को तैयार किया गया है। 1934 ई. के पश्चात् विगत बीस वर्षों में मीराँ के सम्बन्ध में जो कुछ लिखा गया है उसका अनुशीलन और पुनर्मूल्यॉंकन करना भी इस पुस्तक का उद्देश्य रहा है। पुस्तक जीवनी खण्ड, आलोचना खण्ड, रसना खण्ड, संग्रह खण्ड और परिशिष्ट में बँटी है।

पद संख्या—डाकोर की प्रति के 69 तथा काशी की प्रति के 103 पद संग्रह खण्ड में प्रस्तुत किए गए हैं।

पदों का आधार—इसमें पहली बार परिषद् (बंगीय हिन्दी परिषद्) द्वारा प्रकाशित पदावली को अध्ययन का आधार बनाया गया है।[1]

पदों का वर्गीकरण—डाकोर और काशी की प्रतियों के आधार पर किया गया है। सर्वप्रथम डाकोर की प्रति के पद दिए गए हैं तत्पश्चात् काशी की प्रति के।

पदों की भाषा–इसकी भाषा गुजराती के अधिक निकट है। शब्दों का रूप गुजराती उच्चारण के अनुरूप है। क्रियापदों का भी गुजराती रूप मिलता है तथा शुद्ध ब्रजभाषा के पदों का भी गुजराती रूप मिलता है।[2]

पदों की प्रामाणिकता–कुछ विद्वानों के अनुसार डाकोर और काशी की प्रतियों की प्रामाणिकता संदिग्ध है। इन प्रतियों का पाठ तो हिन्दी जगत को मान्य नहीं रहा है। संग्रहकर्त्ता स्वयं उसे स्वीकार करता है–उक्त पाठ का यह रूप कभी हिन्दी भाषियों को ग्राह्य नहीं हो सकता। अतः सम्पादन आवश्यक है।[3]

10. मीराँबाई : एक मनन–

लेखक–डॉ. मन्जुलाल र. मजुमदार; प्रकाशक–प्राच्य विद्या मन्दिर, महाराजा सयाजीराव विश्वविद्यालय, बड़ोदरा (गुजरात); मूल्य–3 रु. 75 पैसे; प्रकाशन–वि. सं. 2017 ई. सन्–1961 (प्रथमा वृ. 500); पृ.सं. 315। यह गुजराती भाषा (में लिखित) का संग्रह है।

पुस्तक परिचय– यह संग्रह मुख्य रूप से–जीवनी और भजन–दो भागों में बँटा है। प्रथम के अन्तर्गत–मीराँबाई : जीवन रेखा, मीराँबाई : भक्ति की भूमिका, मीराँबाई : कविता नो सन्देश आदि में तथा द्वितीय मीराँबाई नु भवन और मीराँ माधुरी में विभाजित है।

पद संख्या–मीराँ के कुल 480 भजन इस संग्रह में संकलित हैं।

पदों का आधार–पदों की प्रामाणिकता-अप्रामाणिकता के विचार को परे रखकर, लोक प्रचलित मीराँ नाम के पदों का यह संकलन है।

पदों की वर्गीकरण–इन पदों का विषयक्रम, अकारादिक्रम तथा घटनाक्रम के आधार पर, वर्गीकरण किया गया है।

पदों की भाषा–ब्रज, हिन्दी तथा राजस्थानी भाषाओं के सभी पदों का गुजरातीकरण कर दिया गया है। परिशिष्ट (1) में मीराँबाई की परची तथा परिशिष्ट (2) में प्रियादास रचित मीराँ चरित्र को हिन्दी में प्रस्तुत किया गया है।

11. भक्त मीराँ–

सम्पादक–बाँके बिहारी भटनागर 'दिवाकर'; प्रकाशक–भारतीय विद्याभवन, बम्बई प्रकाशन–सन् 1961; मूल्य–2 रु.; (प्रथम संस्करण); पृ.सं. 190।

पुस्तक परिचय–अँग्रेजी भाषा में लिखित यह पुस्तक मीराँ के जीवन और काव्य, इन दो ही भागों में मुख्य रूप से विभाजित है। मीराँ के जीवनवृत्त के साथ-साथ मीराँ शब्द, भक्ति और प्रेम पर भी प्रकाश डाला गया है।

पदों की संख्या–इस संकलन में मीराँ के 184 पदों को स्थान दिया गया है।

पदों के आधार—लोक प्रचलित पदों को इस संग्रह में रख दिया गया है।

पदों का वर्गीकरण—भावाभिव्यक्ति ही इन पदों के संकलन क्रम का आधार कही जा सकती है।

पदों की भाषा—ब्रज, हिन्दी, गुजराती और राजस्थानी भाषा के पदों को अपने मूल रूप में रखते हुए, ऑग्ल प्रेमियों के लिए उनका अँग्रेजी अनुवाद किया गया है। पदों को छोड़ इस पुस्तक की भाषा अँग्रेजी है।

12. मीराँबाई और उनकी पदावली—

लेखक—प्रो. देशराज सिंह भाटी, एम.ए; प्रकाशक—अशोक प्रकाशन, नई सड़क, दिल्ली; प्रथम संस्करण, 1962; मूल्य—5 रु.; पृ.सं. 384 (मीराँबाई की पदावली का आलोचनात्मक एवं व्याख्यात्मक अध्ययन)।

पुस्तक परिचय—पुस्तक दो भागों में विभाजित है—आलोचना भाग और व्याख्या भाग। आलोचना भाग में मीराँ का जीवनवृत्त, रचनाएँ, सम्प्रदाय, आराध्य, प्रेम साधना, संगीत योजना, वेदनानुभूति, रस योजना, दर्शन, भक्ति पद्धति, गीति कला, अलंकार योजना, छन्द योजना एवं भाषा आदि उपविभागों में सामग्री प्रस्तुत की गई है। व्याख्या भाग में शब्दार्थ, अर्थ, पाठान्तर विशेष एवं शब्द टिप्पणियों सहित 242 पद दिए गए हैं।

पद संख्या—242 पद, व्याख्या भाग में प्रस्तुत किए गए हैं।

पदों का वर्गीकरण—पदों का कोई वर्गीकरण लेखक ने प्रस्तुत नहीं किया है। साथ ही यह भी ज्ञात नहीं होता कि लेखक ने किसी वर्गीकरण को ध्यान में रखकर पद प्रस्तुत किए हैं। सूची अवश्य अकारादिक्रम से दी गई है किन्तु पद अकारादिक्रम से नहीं रखे गए हैं।

पदों की प्रामाणिकता—पदों की प्रामाणिकता-अप्रामाणिकता के विषय में भी 'लेखक' मौन है। प्राक्कथन में लेखक केवल इतना लिखता है "मीराँबाई और उनकी पदावली मीराँ के पाठकों के समक्ष प्रस्तुत करते हुए मुझे अत्यन्त हर्ष हो रहा है। इसका कारण यह है कि मीराँ साहित्य में इस प्रकार का यह सर्वप्रथम प्रयास है।"

पदों का आधार—संग्रह को देखने से यह कहा जा सकता है कि यह संग्रह विद्यार्थियों के हित एवं प्रयोजन से तैयार किया गया है तथा पदों की प्रामाणिकता-अप्रामाणिकता का ध्यान रखे बिना मीराँ नाम से बहुत प्रचलित पदों का संकलन कर दिया गया है। पदों के संकलन का कोई आधार न देना इस बात का सूचक है कि यह संग्रह पूर्ण प्रामाणिक नहीं माना जा सकता। मुख्यतः इस संग्रह के पद पूर्व प्रकाशित पदों के संग्रहों से लिए गए प्रतीत होते हैं।

पदों की भाषा—इस संग्रह में राजस्थानी, ब्रज, गुजराती भाषाओं के साथ

ही पंजाबी के भी कुछ पद प्राप्त होते हैं।

13. मीरा वृहत्-पदावली–

सम्पादक–स्व. पण्डित हरिनारायण जी पुरोहित; प्रकाशक–प्राच्य विद्या प्रतिष्ठान, जोधपुर; मूल्य–7-50; प्रकाशन काल–1968; पृ.सं.–332; पद संख्या–668। यह मीराँ का अत्यन्त महत्त्वपूर्ण पद संग्रह है।

पदों की संख्या–इस संग्रह में कुल 619 पद दिए गए हैं।

पदों का आधार– इस पुस्तक की भूमिका सम्पादक द्वारा नहीं लिखी जा सकी इस कारण पदों के आधारों का पूर्ण उल्लेख कहीं-कहीं पदों के साथ ही किया गया है, स्वतन्त्र रूप से विस्तारपूर्वक नहीं। पदों को देखने से पदों का आधार ज्ञात अवश्य हो जाता है। वैसे इसे एक मिलेजुले स्वरूप वाला संग्रह कहा जा सकता है, जिसमें हस्तलिखित ग्रन्थों में लिपिबद्ध एवं मौखिक परम्परा से प्राप्त दोनों प्रकार के ही पदों को स्थान दिया गया है।

पदों का वर्गीकरण–इस संग्रह में पदों का वर्गीकरण भावाभिव्यक्ति के आधार पर किया गया है जैसे आकाँक्षा, विनय, आत्मेतिहास, विरह, प्रेम आदि। इसके साथ ही भाषाई दृष्टिकोण की ओर भी संकेत किया गया है जैसे ब्रज की छटा से पूर्ण पद, मारवाड़ी बोली के प्रधान शब्दों वाले पद, पंजाबीपन से पूर्ण आदि।

विशेष–जयपुर के स्व. पुरोहित हरिनारायण जी द्वारा संग्रहीत मीराँ के पदों पर आधारित यह मीराँ वृहत्-पदावली प्रत्येक पद के साथ राग और ताल से युक्त है। कोष्टक में चरित और विनय आदि लिखकर पद के भाव की ओर भी संकेत किया गया है। प्रत्येक पद की प्रथम अथवा द्वितीय पंक्ति टेर अथवा टेक से युक्त है। पदों के नीचे पाठान्तर एवं नोट भी दिए गए हैं। दीर्घ और ह्रस्व स्वरों का विवेचन कर भाषा वैज्ञानिक ज्ञान का भी परिचय दिया गया है। पदों के मूलाधारों की ओर भी संकेत कहीं-कहीं मिलते हैं।

इस संग्रह की साहित्यप्रेमी बड़ी व्यग्रता से प्रतीक्षा करते रहे हैं। यह संग्रह अत्यन्त महत्त्व का इसलिए भी समझा जा रहा है कि स्व. पुरोहित जी ने मीराँ के अध्ययन और पद संग्रहीत करने में अपना जीवन लगा दिया था। उन्हें कुछ महत्त्वपूर्ण उपलब्धियाँ भी हुई थीं किन्तु अचानक उनकी मृत्यु हो जाने के कारण उनकी प्राप्त नवीन उपलब्धियों का ज्ञान साहित्य संसार को न हो सका।

इसमें संग्रहीत पदों को भी प्रामाणिक पद नहीं कहा जा सकता। कुछ ऐसे भी पद इस संग्रह में आ गये हैं जिनकी ऐतिहासिक पृष्ठभूमि संदिग्ध है। पदों के प्राप्ति स्रोतों के अभाव में पदों का महत्त्वनिर्धारण कठिन हो गया है। प्रमुख संग्रह जिनमें मीराँबाई के पद भी हैं।

	ग्रन्थ	सम्पादक। ले.। संग्रहकर्त्ता	आधार	सन्-सम्वत्	पद संख्या
1	संगीत राग कल्पद्रुम	कृष्णानन्द व्यास देव रामसागर	गु.ह.ग्रं.	1842	43-3=40
2	वृहत् काव्य दोहन	इच्छाराम सूर्यराम देसाई (10 भागों में)	ह.लि.ग्रं. 6 प्रतियाँ	1897	9,17,155, 113=159
3	मीराँबाई ऑफ उदयपुर (पदों का बंगाली अनुवाद)	श्री उपेन्द्र मुखोपाध्याय	—	1901	
4	महिता नृदुवाणी	मुन्शी देवीप्रसाद कृत	1 काशी ना. प्र. सभा, काशी 2 पुस्तक प्रकाश, जोधपुर	1905	
5	गाथ पंचक	त्र्यम्बक हरी आप्टे	नाना सारवर के ह. लि.ग्रं.	1908	156
6	प्राचीन काव्य सुधा	छगनलाल विद्याराम रावल (5 भागों में)	1पू.प्र.ग्रन्थ 2 ह.लि.ग्रंथ	1922 के आसपास	16,14, 3=33
7	रिसिलेक्शन्स फ्रांम क्लासिकल गुजराती लिटरेचर	ह.ज.ज. तारापोर वाला (बम्बई)	बृहत काव्यदोहन	—	106
8	मीराँबाई, सहजोबाई, दयाबाई का पद संग्रह	वियोगी हरि (गाँधो पुस्तक भ. प्रयाग)	पू. प्र. ग्रन्थ	1930	36
9	भजन संग्रह	वियोगी हरि	ताल व लय की मौलिकता के आधार पर	1931	62

	ग्रन्थ नाम	संक.। संपा.	प्रकाशक	पद सं.	सन् ।सम्वत्	स्थान	भाषा	आधार
	1	2	3	4	5	6	7	8
1	मीराँबाई के भजन	ईश्वरीप्रसाद राम.	—	20	1897 प्र.सं. 1905 द्वि. सं.	मेरठ	हिन्दी	मौ. पर
2	मीराँबाई ऑफ उदेपुर	उपेन्द्रनाथ मुखोपाध्याय	—	21	1901	काशी	बं. अनु. संग्रह से	ह. लि. प्र. महा. रघु.
3	मीराँबाई कार्तिक का जीवन-चरित्र	प्रसाद खत्री	—	21	1903	काशी	—	”
4	श्री भक्त-शिरोमणि मीराँबाई के भजन	विश्वेश्वरप्रसाद	—	34	1905	बनारस	हिन्दी	मौ. पूर्व. प्र.
5	मीराँबाई के भजन	—	नवलकिशोर प्रेस	—	1905 प्र.सं. 1913 द्वि.सं.	लखनऊ	—	मौ.
6	मीराँबाई की शब्दावली	बालेश्वरप्रसाद	वेलडियर प्रेस, प्रयाग	38	1909 1915 द्वि.सं.	प्रयाग मि.		वि. प्रतियाँ
7	मीराँबाई भजन भां.	गो.मो. कार्लेकर —	352	1922	महा.	—		वि.का.दो.गा. पं. ह. प्र.

1	2	3	4	5	6	7	8
8 मीराँ मन्दाकिनी	नरो.दा. स्वामी	यु.बु.डिपो	161	1930	आगरा	—	ह. लि. ग्रं.
9 मीराँबाई परशु,	चतुर्वेदी	सा.सम्मे.	201	1932	प्रयाग	—	पू.प्र.सं.
10 मीराँ	वामदेव	सं. का.	—	1936	प्रयाग	—	मि.
11 मीराँबाई	मुरलीधर श्रीवा.	सा.भ.	139	1934	छपरा	—	—
12 मीराँ की प्रेन साधना	भुव. प्र. मिश्र	ग्रं.वा.म.	126	1934	प्रयाग	—	पूर्व. प्रका. संग्रह
13 भक्त मीराँ	व्य. ह.	ध.ग्रं. दारा	—	1933	प्रयाग	—	—
14 सांग्स आफ मीराँबाई	आर.सी.टण्डन	हि.मं.	50	1934	इला.	—	अँग्रे. अनु. पू.सं.
15 मीराँबाई	सं.सं.म.न.ना.म.	—	105 151	1955सं. 1938 सन्	बम्बई	गुजराती	पू. प्र.सं.
16 मीराँ पदा.	विष्णु. कु. मन्जु.	हि.म.	201	1938	लाहौर	हिन्दी	पू.प्र.सं.
17 मीराँ जीवनी जौर काव्य	महा. सिंह गहलोत	श. का	108	1945	बनारस	—	लि. मो. दोनों
18 मीराँ की पदावली	चुन्नीलाल शेष	—	233	1945	बनारस	—	लि.मो. दोनों
19 मीराँ माधुरी ब्रज	र.दास	हिं.सा.कु.	—	1948	बनारस	—	पू.प्र. सं.
20 मीराँ को पदावली	सदानन्द भारती	एम.एस. मे.एंड सं.	—	1992 वि.सं.	बनारस	—	—

21	मीराँ स्मृति ग्रन्थ	—	बं.हि.प.	172	1950	काशी	—	ह.लि.ग्रं.
22	मीराँ बृहद् पद संग्रह	श्रीमती पद्मा.श.	लोक से. प्रकाशन	590	1952	काशी	—	पूर्व प्र.सं.
23	मीराँदर्शन	प्रो. मुरलीधर श्रीवास्तव	—	103	1956	—	—	डा.का.प्र.
24	मीराँ सुधा लहरी	स्वा.आ.स्व.	भी.प्र. समिति	1312	1957	भीलवाड़ा मि.		मीराँ छाप के समस्त पद
25	मीराँ सुधा सिन्धु	स्वा.आ.स्व.	मी.प्र.	भीलवाड़ा मि. हिन्दी मी. छाप के.				
26	मीराँबाई नी भजनो	हरि.सि. मा. दिवेटिया	—	222	1956		”	
27	मीराँ और उनकी प्रेम वाणी	ज्ञानचन्द जैन	वि.भा. बुक डिपो	—	1945	कलकत्ता	”	
28	मीराँ की प्रेमवाणी	पं. राम लो. शर्मा	बम्बई पु. भंडार	—	—	कलकत्ता	”	
29	मीराँबाई (सप्त.सं.)	परशु,.चतुर्वेदी.	सा.सम्मे.	—	1957	प्रयाग	”	पूर्व प्र.सं.
30	श्रीमीराँ बाई जी	सी.रा. श.भ.प्र.	रूपकला स.वि.प्रे.	—	बांकीपुर	”		

31 मीराँ बृहत्पदावली (भाग1)	स्व.पु.हरि.	प्रा.वि.प्र.	662	1968	जोधपुर	मि. ”	पूर्व व. सं. ह.लि.प्रतियाँ
32 भक्त मीराँ	बाँके बि. भटनागर	160	1961	बम्बई	मि.	”	मिश्रित पद
33 मीराँ	श्याम पाण्डे			इन्दौर		”	
34 मीराँबाई एक मनन	डॉ. मन्जु. मजुमदार	189				”	
35 मीराँबाई और उनकी पदावली	प्रो. देशराजसिंह भाटी	242	1962	दिल्ली		”	पू.प्र.पद
36 मीराँदर्शन	लालसिंह शक्तावत	151	1965	चित्तौड़		”	पू.प्र. संग्रह
37 मीराँ की पदावली	अज्ञात सन्त						
38 मीराँ पदावली	श्री शम्भूसिंह मनोहर	चिन्मय प्रकाशन, जयपुर				”	डाकोर एवं काशी की प्रति के आधार पर

पत्र पत्रिकाओं में मीराँ के पद–

1. सिलेक्शन्स फ्राम हिन्दी लिटरेचर : लाला सीताराम
2. नागरी प्रचारिणी की खोज रिपोर्ट में पदों की सूचनाएँ–
   (क) 1902 संख्या 57, 64 तथा 249
   (ख) 1912-14, संख्या 115
   (ग) 1926-28, संख्या 303
   (घ) 1929-31, संख्या 231
   (ड) 1932-34, संख्या 145
3. राजस्थान में हिन्दी के हस्तलिखित ग्रन्थों की खोज, भाग 3–उदयसिंह भटनागर, 55 पद
4. राजस्थानी, भाग–3, अंक 1, जनवरी 1939 (कलकत्ता)–दस पद
5. हिन्दुस्तानी, भाग–19, अंक 4, सन् 1958 ई0 (प्रयाग)–भक्त कवयित्री मीराँ के अप्रकाशित पद
6. मीराँ बाई हर लाइफ एण्ड सांग्स–अनन्त नाथ बसु, विश्व भारती, जनवरी, 1929
7. शोध पत्रिका, उदयपुर में श्री अगरचन्द नाहटा द्वारा प्रस्तुत मीराँ के 5 अप्रकाशित पद।
8. मीराँ स्मृति ग्रन्थ (साहित्य निकेतन, हाथी भाटा, अजमेर; सम्पा. ओंकारनाथ दिनकर, सन् 1972) में श्री अगरचन्द नाहटा द्वारा मीराँबाई के 19 अप्रकाशित पद।

अन्य ग्रन्थों में मीराँ के पद–

1. कविता कौमुदी–रामनरेश त्रिपाठी
2. स्त्री कवि कौमुदी–ज्योतिप्रसाद मिश्र
3. राजस्थानी–श्री रगण शर्मा आचार्य, कलकत्ता 1939।

मीराँ के पदों का वर्गीकरण

यद्यपि मीराँ के पदों के विभिन्न सम्पादकों ने मीराँ के पदों का वर्गीकरण अपने-अपने विवेक और सुविधा से किया है किन्तु सम्प्रति प्राप्त मीराँ के पदों को इस प्रकार भी विभाजित किया जा सकता है। जैसे–

1. पदों में प्राप्त एक ही विचार और अभिव्यक्ति के आधार पर
2. कृष्ण लीला सम्बन्धी तथा माधुर्यभाव के अभिव्यक्ति वाले विरह पदों के आधार पर
3. सन्त परम्परा और नाथ परम्परा से प्रभावित पद

4. समान अभिव्यक्ति और पूर्वापर सम्बन्ध वाले पद
5. शुद्ध साहित्यिक भाषाओं के पद
6. समर्पणद्योतक पद
7. एकसी टेक परम्परा वाले तथा विभिन्न टेक परम्परा वाले पद
8. पौराणिक गाथाओं एवम् निर्वेद की अभिव्यक्ति वाले पद
9. वैष्णव भक्ति के रंग में रंगे पद
10. अन्य भक्त कवियों के नाम से प्रचलित मीराँ के पद
11. एकसी शब्दावली वाले पद
12. किसी प्रकार की सूचना देने वाले पद
    (क) रीतिरिवाजों की सूचना वाले पद
    (ख) ऐतिहासिक एवं सांस्कृतिक सूचना वाले पद
    (ग) सामाजिक व्यवस्था सूचक पद
    (घ) अपने पर किए अत्याचारों के सूचक पद
    (ङ) यात्राओं के सूचक पद
    (च) परिवार एवं अपनी जीवनी के सूचक पद
13. प्रसिद्धि के आधार पर
    (क) बहु प्रचलित तथा सर्व प्रचलित पद
    (ख) अत्यन्त कम प्रचलित पद
    (ग) नवीन पद
14. कृष्ण की बाललीला सम्बन्धि पद
15. वियोग तथा शृंगार एवं खीज और समर्पण के पद
16. मिश्रित भाषाओं के पद
17. शास्त्रीय पद्धति पर आधारित पद
18. विभिन्न बोलियों में प्राप्त पद
19. राजस्थान, ब्रज एवं द्वारिका से बाहर मीराँ के गमन के सूचक पद

विवेच्य विभिन्न संकलनों की प्रामाणिकता पर विचार–

सम्प्रति उपलब्ध मीराँ के पदों के संकलनों में से किसी को भी सर्वाधिक प्रामाणिक नहीं माना जा सकता क्योंकि सभी में थोड़ी बहुत कमी रह ही गई है। इन कमियों के रहने का मूल कारण यह था कि विभिन्न संकलनकर्त्ताओं के उद्देश्य भिन्न-भिन्न थे जैसे–

1. किसी ने केवल मीराँ नाम से प्रचलित सम्पूर्ण पदों को संकलित कर लिया। संकलनकर्त्ता ने इन पदों की प्रामाणिक-अप्रामाणिकता का कोई ध्यान नहीं रखा। उन्हें जो भी मीराँ छाप का पद मिला उन्होंने उन्हें

संकलित कर लिया जैसे स्वामी आनन्द स्वरूपजी आदि।

2. कुछ संकलनकर्त्ताओं ने संकलन तो मीराँ के नाम के पदों का ही किया है किन्तु उन संकलित पदों का विभाजन एवं महत्त्व निर्धारण अपने आधार पर किया है जैसे—श्रीमती पद्मावती शबनम, स्वामी आनन्दस्वरूपजी, एवं स्व. पुरोहित हरिनारायणजी उन्होंने प्रामाणिकता की किसी ठोस कसौटी के आधार पर निर्णय प्रस्तुत नहीं किया।
3. कुछ ऐसे संकलनकर्त्ता हैं जिन्होंने मीराँ के मौखिक परम्परा में प्राप्त पदों को महत्त्व दिया है, जैसे श्रीमती पद्मावती शबनम।
4. ऐसे संकलनकर्त्ता भी कम नहीं हैं जिन्होंने केवल हस्तलिखित ग्रन्थों में मीराँ नाम से प्राप्त सभी पदों का संकलन किया है। जैसे—ललिता प्रसाद सुकुल, नरोत्तमदास स्वामी आदि।

   (क) कतिपय संकलनकर्त्ताओं ने पदों का संकलन तो हस्तलिखित गुटकों से ही किया है किन्तु प्राप्त सभी पदों में से स्वयं को महत्त्वपूर्ण एवं प्रामाणिक लगने वाले पदों को ही प्रमुखता दी है। उन्होंने उन हस्तलिखित ग्रन्थों का न तो पूर्ण परिचय दिया है न उनकी 'फोटो' ही। जैसे—श्री नरोत्तमदास स्वामी, श्री महावीर सिंह गहलोत।

   (ख) 'मीराँ स्मृति ग्रन्थ' में जो मीराँ के पद दिए गए हैं उनका आधार हस्तलिखित ग्रन्थ बताया गया है किन्तु पदों की जो 'ड़' प्रधानता है, वह विश्वसनीय नहीं कही जा सकती क्योंकि 'ड़' का ऐसा प्रयोग उस युग में प्रचलित नहीं था और न उसके बाद या पूर्व ही था।[4] अतः यह एक विचारणीय प्रश्न है।
5. अनेक संकलनकर्त्ताओं ने हस्तलिखित ग्रन्थों एवं मौखिक परम्परा, दोनों में मीराँ के नाम से प्राप्त पदों का संकलन किया है। इन्होंने भी प्रामाणिकता-अप्रामाणिकता पर विचार नहीं किया है।
6. ऐसे भी संकलनकर्त्ता हैं जिन्होंने मीराँ के नाम से उपलब्ध पदों की प्रामाणिकता का ध्यान तो रखा है किन्तु उन पदों को अपने ढंग अथवा ज्ञान से पाठांतरित करके रख दिया है, इस तरह उनका मूल स्वरूप सुरक्षित नहीं रह सका है।
7. इन संकलनकर्त्ताओं में से कुछ ने अपने संकलनों का आधार नहीं दिया है। कुछ ने हस्तलिखित ग्रन्थों का नाम अपने आधार ग्रन्थों के रूप में दिए हैं किन्तु उनका पूर्ण ब्यौरा न होने के कारण उनकी उपलब्धि संशयपूर्ण हो जाती है। पं. नरोत्तम दास जी ने यह तो लिखा है कि—'इस संकलन का पाठ इस प्राचीन हस्तलिखित पुस्तक के आधार पर निश्चित किया गया है।' किन्तु यह नहीं लिखा कि वह प्रति कहाँ से प्राप्त, किस

सम्वत् की, किस भाषा में है। इसी प्रकार श्री अगरचन्द नाहटा भी एक प्राचीन हस्तलिखित प्रति बताते हैं किन्तु उसका पूरा विवरण नहीं देते। डाकोर की प्रति का उल्लेख किया है पर वह भी अप्राप्य है।

श्री नरोत्तम दास स्वामी ने 'मीराँ मन्दाकिनी' में मीराँ के प्राप्त पदों में साहित्यिक राजस्थानी भाषा को खोजने एवं आरोपण करने का प्रयास किया है किन्तु क्या मीराँ के पदों में साहित्यिक भाषा को खोजा जा सकता है? क्या उन पदों से साहित्यिक भाषा के मानदण्डों के आधार पर प्रामाणिक-अप्रामाणिक पदों को छाँटा जा सकता है? क्या मीराँ के पदों को किसी भाषा के बन्धनों, व्याकरणिक मर्यादाओं एवं शास्त्रीय जटिलताओं में कसकर परखा जा सकता है? मैं समझता हूँ कदापि नहीं। मीराँ के पद तत्कालीन लौकिक भावभूमि पर अवतरित, एक स्वतन्त्र प्रकृति के भक्त हृदय की स्वच्छन्द भावपूर्ण गाथा है जो न साहित्यिक बन्धन स्वीकारती है न सामाजिक और न धार्मिक ही। मीराँ के पदों का सच्चा स्वरूप लौकिक ही हो सकता है किन्तु 400 वर्ष पूर्व लोक प्रचलित पदों को प्रामाणिक तो नहीं माना जा सकता। यह सत्य है कि इन विगत 400 वर्षों में उनका रूप परिवर्तन अवश्य हुआ है किन्तु मूल तत्व, मूल भाव अभी नष्ट नहीं हुए हैं। अतः हमें इन लौकिक पदों में से मूल तत्व एवं मूल भाव और हस्तलिखित प्रतियों के पदों में से प्रामाणिकता खोज निकालनी है। इन दोनों का जो मिलाजुला स्वरूप होगा वही मीराँ के पदों का प्रामाणिक स्वरूप होगा किन्तु इसके लिए भी हमें उस युग के सांस्कृतिक परिवेश में झांककर देखना होगा और उसी सन्दर्भ में समझना होगा। मीराँ अपने युग की देन है, अतः मीराँ को समझने से पहले मीराँ का युग समझना होगा।

मीराँ की भाषा कभी शुद्ध साहित्यिक भाषा नहीं रही अतः शुद्ध साहित्यिक भाषा में उपलब्ध उनके पद अप्रामाणिक ही कहे जाएँगे। फिर चाहे वे ब्रज भाषा के पद हों, चाहे राजस्थानी के, चाहे गुजराती के हों।

प्रस्तुत ग्रन्थ की आवश्यकता–

मीराँ के जीवनवृत्त, पदों एवं सम्पूर्ण काव्य पर सम्प्रति इतना विचार होने के पश्चात् भी हिन्दी संसार में ऐसा कोई 'शोध-प्रबन्ध' अब तक तैयार नहीं हुआ था जो मीराँ के जीवतवृत्त एव काव्य दोनों पर पूर्ण प्रकाश डाल सकता। डॉ. छोटेलाल प्रभात का शोधप्रबन्ध ('मीराँ बाई'), केवल मीराँ के जीवनवृत्त के अध्ययन तक ही सीमित रहा है और डा. विमला गौड़ का शोधप्रबन्ध 'मीराँ के साहित्य के मूल स्रोतों' का ही परिचय हमें देता है। अतः इस अभाव की पूर्ति हेतु यह पुस्तक प्रस्तुत की जा रही है।

मीराँ के पदों के अनेक संग्रह प्रकाशित हुए हैं किन्तु प्रायः सभी के स्रोत

एक तो संदिग्ध हैं, दूसरे अस्पष्ट हैं। कोई भी संग्रह विभिन्न स्थानों एवं कालों के हस्तलिखित ग्रन्थों से संग्रहीत नहीं था। अधिकांश मौखिक एवं लिखित सामग्री तथा पूर्व प्रकाशित सामग्री के ही ग्रन्थ कहे जा सकते हैं। ललिताप्रसाद सुकुल के शब्दों में "......इन विविध साहित्य प्रेमीजनों में से एक का भी यह दावा नहीं कि उसके संग्रह का आधार प्राचीन हस्तलिखित प्रतियों पर है। इससे यह अनायास स्पष्ट हो आता है कि उपर्युक्त सारे संग्रह विविध स्थानों में प्रचलित जनसाधारण द्वारा गाये जाने वाले विविध रूप और प्रकार के पदों के ही संग्रह हैं।...कारण स्पष्ट है कि इन विविध संग्रहों के पद गली-गली गाए जाने वालों से सुनकर बटोर लिए गए हैं। संग्रहकत्ताओं की कठिनाई भी इस ओर कम नहीं थी। जब तक हस्तलिखित प्रतियों के आधार लेने का कष्टसाध्य संकल्प न करते तब तक और चारा ही क्या था?"[5]

ऐसे ही अभाव की सूचना प्रो. मुरलीधर श्रीवास्तव के निम्न कथन से मिलती है—"जिस कवयित्री के पदों का प्रचार गुजरात, राजस्थान (हिन्दी क्षेत्र) बंगाल और उड़ीसा तक हुआ, उसकी प्राचीन हस्तलिखित प्रतियों को प्राप्त करने में उतना ही श्रम नहीं हुआ, जितना उपेक्षित था। यदि मीराँ का प्राचीन प्रामाणिक संग्रह उपलब्ध हो सके और उसी का अनुशीलन-आलोचन कर हम किसी निष्कर्ष पर पहुँचे तो मीराँ सम्बन्धी हमारी जानकारी सही हो सकती है।"[6]

अतः इस अभाव की पूर्ति हेतु यह प्रयास किया गया है।

केवल राजस्थान के हस्तलिखित ग्रन्थ भण्डारों में मीराँ काव्य सम्बन्धी इतनी सामग्री भरी पड़ी है कि उसका अब तक प्रकाशन नहीं हुआ था। इन ग्रन्थों की लिखित सामग्री अत्यन्त महत्त्वपूर्ण है और इससे मीराँ काव्य पर नया प्रकाश पड़ता है। अस्तु इस सम्पूर्ण सामग्री से मीराँ के अप्रकाशित पदों को साहित्य जगत को भेंट करने की अभिलाषावश इस ग्रन्थ को लिपिबद्ध किया गया है।

ग्रन्थ प्राप्ति—स्रोत—

सभी हस्तलिखित ग्रन्थों के प्राप्ति स्रोत मुख रूप से दो हैं—

1. राजस्थान की साहित्यिक संस्थाओं के संग्रह
2. वैयक्तिक रूप से संग्रहीत संग्रह

राजस्थान की साहित्यिक संस्थाओं में भी राजकीय साहित्यिक संस्थाएँ तथा अराजकीय संस्थाएँ, ये दो उपविभाग किए गए हैं।

राजकीय संस्थाएँ—

राजस्थान की राजकीय संस्थाओं में, राजस्थान प्राच्यविद्या प्रतिष्ठान, जोधपुर और उसकी जयपुर, बीकानेर, चित्तौड़, उदयपुर, अलवर आदि स्थानों की शाखाएँ

हैं। राजस्थान प्राच्यविद्या प्रतिष्ठान, जोधपुर तथा उसकी दोनों शाखाओं (जयपुर और बीकानेर) के हस्तलिखित ग्रन्थों से प्रस्तुत पदावली में अनेक पद लिए गए हैं।

अराजकीय संस्थाएँ–

इन संस्थाओं में निम्नलिखित संस्थाएँ हैं जिनके हस्तलिखित ग्रन्थों से इस पदावली के अनेक पद संग्रहीत किए गए हैं–

1. राजस्थानी शोध संस्थान, चोपासनी, जोधपुर।
2. अनूप संस्कृत लाइब्रेरी, लालगढ़ पैलेस, बीकानेर।
3. भारतीय विद्या मन्दिर, बीकानेर।
4. सन्त साहित्य संगम, बीकानेर।
5. पुस्तक प्रकाश शोध केन्द्र महाराजा मानसिंह महानगर, जोधपुर

व्यक्तिगत रूप से प्राप्त–

राजस्थान प्राच्यविद्या प्रतिष्ठान, जोधपुर की जयपुर शाखा के 3 हस्तलिखित ग्रन्थों से मैंने मीराँ के 35 पद संकलित किए हैं। यहाँ के एक हस्तलिखित ग्रन्थ के साथ दो नवीन कागजों पर मीराँ का बारहमासी वर्णन आदि भी दिया गया है। इस शाखा के कुछ पद अत्यन्त महत्त्वपूर्ण हैं। इन हस्तलिखित ग्रन्थों का पूरा व्यौरा प्रस्तुत है–

ग्रन्थांक	पद-संख्या	कर्त्ता	विवरण	लिपि-समय
8	12	मीराँ	स्फुट पद	वि.स. 1886
27	2	"	स्फुट पद संग्रह	19वीं सदी
73	3	"	" " "	1951वि.स.
73	17	"	" " "	" " "

उपर्युक्त हस्तलिखित ग्रन्थों के साथ ही ग्रन्थांक 138 वाला एक गुटका भी यहाँ उपलब्ध है, जिसमें मीराँ रचित बारहमासी (विरह की) दी गई है।

राजस्थान प्राच्यविद्या प्रतिष्ठान, बीकानेर–

राजस्थान प्राच्यविद्या प्रतिष्ठान, जोधपुर की दूसरी शाखा बीकानेर में है। इसमें 20 हजार के लगभग हस्तलिखित ग्रन्थ हैं किन्तु अधिकांश संस्कृत अथवा जैन साहित्य से सम्बन्धित हैं। मैंने इस संस्थान के अनेक ग्रन्थों का निरीक्षण किया जिनमें से 10 हस्तलिखित ग्रन्थ मेरे लिए महत्त्वपूर्ण थे। इन दसों में से केवल एक हस्तलिखित ग्रन्थ (ग्रन्थांक 10457) में 'मीराँ पद संग्रह' उपलब्ध हुआ, जिस से केवल 8 पद लिए गए।

ये सभी पद अत्यन्त महत्त्वपूर्ण हैं। मैंने जिन हस्तलिखित ग्रन्थों को इस हेतु देखा, उनकी संख्या निम्नलिखित है–2866, पद संग्रह, 6676, होरी संग्रह, 10266।

अनूप संस्कृत लाइब्रेरी, लालगढ़ पैलेस, बीकानेर–

बीकानेर के लालगढ़ पैलेस स्थित, अनूप संस्कृत लाइब्रेरी, एक अत्यन्त महत्त्वपूर्ण संस्था है, जहाँ राजस्थानी भाषा साहित्य, संस्कृत साहित्य, ज्योतिष तथा इतिहास, आयुर्वेद आदि के अत्यन्त महत्त्वपूर्ण हस्तलिखित ग्रन्थ सुरक्षित हैं। मुझे मीराँ के पदों वाले भी कुछ महत्त्वपूर्ण हस्तलिखित ग्रन्थ यहाँ देखने को मिले। इस संस्थान के 8 हस्तलिखित ग्रन्थों से मैंने कुल 117 मीराँ के पद संग्रहीत किए, जिनमें कुछ पद अत्यन्त महत्त्वपूर्ण हैं। यहाँ से प्राप्त सभी पदों की अपनी विशेषता है।

यहाँ के जिन हस्तलिखित ग्रन्थों से मैंने सामग्री ली है उनके ग्रन्थांक निम्न हैं–

112, 113, 170, 172, 177, 190, 209, 223 आदि।

यहाँ से प्राप्त हस्तलिखित ग्रन्थों का पूरा ब्यौरा निम्न प्रकार है–

हिन्दी ग्रन्थों की सूची–

अनुक्रमांक	संकलित पद स.	विशेषांक	पत्र संख्या	विवरण सम्वत् आदि
170	48	170	18	मीराँ आदि फुटकर कवित्त
172	6 पद	172	3-32	" सं. 1949
177	2 पद	177	46 13	" "
190	11 पद	190	3-15	" "
206	5 पद	206	229	" "
233	2 पद	223	86	" "

राजस्थानी ग्रन्थों की सूची–

12	17 पद	112	92	हरजस (मीराँ के पद) सं. 1947
13	36 पद	113	250	(' ' ') सं. 1961

कुल पद (इस पदावली हेतु) 117

भारतीय विद्यामन्दिर, बीकानेर–

भारतीय विद्यामन्दिर, बीकानेर के संग्रह में भी कुछ हस्तलिखित ग्रन्थ हैं। इनमें से एक हस्तलिखित ग्रन्थ जिसका ग्रन्थांक दिया हुआ नहीं था, बहुत महत्त्व का है। इस ग्रन्थ से मैंने 43 पद संकलित किए। इनमें से 21 पद पूर्ण प्रकाशित पदों से कुछ साम्य रखने वाले थे शेष सभी नवीन कहे जा सकते हैं। इसका

लिपि समय दिया हुआ नहीं है, किन्तु 18वीं शताब्दी का यह गुटका लगता है और कोई मीराँ सम्बन्धी हस्तलिखित ग्रन्थ यहाँ देखने में नहीं आया।

सन्त साहित्य संगम, बीकानेर–

रामस्नेही सम्प्रदाय द्वारा व्यवस्थित किया जाने वाला यह साहित्य संगम, अभी अपनी शैशवावस्था में है। यहाँ अनेक महत्त्वपूर्ण ग्रन्थ हैं जिनमें सन्त साहित्य से सम्बन्धित सामग्री भरी पड़ी है। इस संस्थान द्वारा अनेक हस्तलिखित ग्रन्थों को संग्रहीत तो किया गया किन्तु अभी तक उनके ग्रन्थांक नहीं लग सके हैं तथा उनकी सूची भी बननी शेष है।

इस संस्थान के कुछ हस्तलिखित ग्रन्थों से (जिनके ग्रन्थांक लगे हुए न होने के कारण नहीं दिए जा सके हैं) मैंने 36 पद संकलित किए। यहाँ से प्राप्त अनेक पद महत्त्वपूर्ण हैं।

राजस्थान प्राच्य विद्या प्रतिष्ठान, जोधपुर (राजस्थान)

राजस्थान प्राच्य विद्या प्रतिष्ठान, (जोधपुर) राजस्थान सरकार द्वारा सन् में स्थापित विश्वविख्यात हस्तलिखित ग्रन्थ भण्डार है। जहाँ विभिन्न भाषाओं में लिखित, विविध विषयों के लाखों हस्तलिखित ग्रन्थ हैं। इस प्रतिष्ठान की अनेक शाखाएँ प्रदेश के विभिन्न भागों में स्थित हैं जिनमें जयपुर, उदयपुर, चित्तौड़गढ़, अलवर, बीकानेर, भरतपुर आदि प्रमुख हैं।

राजस्थान प्राच्य विद्या प्रतिष्ठान तथा उसकी विभिन्न शाखाओं में मीराँ के पदों से युक्त अनेक हस्तलिखित ग्रन्थ हैं। इनमें ग्रन्थांक 17765 (2) ग्रन्थनाम स्फुट पद संग्रह का है जिसका लिपि समय विक्रमी सम्वत् 1648 लिखा हुआ है। मीराँबाई का स्वर्गवास विक्रमी सम्वत् 1604 में मान्य है। इस तरह यह हस्तलिखित ग्रन्थ मीराँ के 44 वर्ष पश्चात् का है। इसके अतिरिक्त 18वीं सदी विक्रमी के ग्रन्थाक 15609 (1) 1-13 का हस्तलिखित ग्रन्थ है जिसका समय विक्रमी सम्वत् 1789 है। जो मीराँ के 185 वर्ष बाद लिपिबद्ध हुआ।

इस ग्रन्थ भण्डार में विक्रमी 18वीं सदी में निम्नलिखित 4 ग्रन्थ निम्नलिखित हैं ग्रन्थांक–122118 (20)-14914 (51-52)-10851 (3) 16-20, 12205 (51)। यहाँ ग्रन्थांक 14416 (10) का हस्तलिखित ग्रन्थ विक्रमी सम्वत् 1819 का लिपिबद्ध है। इसी तरह विक्रमी सम्वत् 1840, 1878, 1880, 1883 1886, 1893 तथा 1894 में लिपिबद्ध मीराँ पदों से युक्त हस्तलिखित ग्रन्थ हैं। ग्रन्थांक 25539 जो 19वीं विक्रमी सम्वत् में लिपिबद्ध है–मीराँ पदों से युक्त सचित्र ग्रन्थ है। इन चित्रों की शैली मधुबनी है। मीराँ पदों का यह दुर्लभ हस्तलिखित ग्रन्थ सचित्र होने के कारण अत्यन्त महत्त्वपूर्ण है।

राजस्थान प्राच्य विद्या प्रतिष्ठान, जोधपुर

हस्तलिखित ग्रन्थों की सूची

भाग–9

ग्रन्थांक–42

क्रमांक	ग्रन्थांक	ग्रन्थ का नाम	कर्त्ता	भाषा	लिपि समय	पत्र संख्या	विशेष ज्ञातव्य	सूचीपत्र पेज नं.
287	1882(83)	पद	मीराँ	ब्र हि.	19वीं श.	52वां		267
324	1882(128)	पद	मीराँ	रा गु.	19वीं श.	67वां		269
326	1882(130)	पद	मीराँ	रा.गु.	19वीं श.	67वां		270
330	1882(130)	पद	मीराँ	ब्र. रा.	19वीं श.	68वां		270
343	1882(156)	पद	मीराँ	राज.	19वीं श.	94वां		271
355	1882(184)	पद	मीराँ	ब्रज.	19वीं श.	121वां		271
370	1882(206)	पद	मीराँ	ब्रज.	19वीं श.	132वां		272
388	1890(16)	पद	मीराँ	ब्र.हि.	19वीं श.	22वां		273
410	1890(44)	पद	मीराँ	हि.	19वीं श.	41वां		274
417	1890(53)	पद	मीराँ	राज.	19वीं श.	48-49वां		275
426	1890(63)	पद	मीराँ	राज.	19वीं श.	53-54वां		275
434	1890(74)	पद	मीराँ	राज.	18वीं श.	61-62वां		276
440	1890(82)	पद	मीराँ	राज.	19वीं श.	68वां		276
447	1890(90)	पद	मीराँ	राज.	19वीं श.	71-72वां		277
450	1890(99)	पद	मीराँ	राज.	19वीं श.	76वां		277
457	1890(105)	पद	मीराँ	राज.	19वीं श.	82-83वां		277

465	1890(116)	पद	मीराँ	रा.	19वीं श.	89,90वां		278
484	1890(144)	पद	मीराँ	राज.	19वीं श.	126वां		279
487	1890(147)	पद	मीराँ	राज.	19वीं श.	127वां		279
488	1890(148)	पद	मीराँ	ब्र.हि.	19वीं श.	128वां		279
536	1890(204)	पद	मीराँ	राज.	19वीं श.	158,159वां		282
537	1890(206)	पद	मीराँ	ब्र.हि.	19वीं श.	159,160वां		282
538	1890(207)	पद	मीराँ	ब्र.हि.	19वीं श.	160वां		282
539	1890(209)	पद	मीराँ	ब्र.हि.	19वीं श.	161वां		282
550	1890(223)	पद	मीराँ	राज.	19वीं श.	170,179वां		283
554	1890(226)	पद	मीराँ	राज.	19वीं श.	173वां		283
568	1890(282)	पद चतुष्क (4)		मीराँ	ब्रहि.रा.	19वीं श.	144,146	284
569	1890(197)	पद चतुष्क (4)		मीराँ	ब्र.हि.	19वीं श.	153-156	284
603	1882(162)	पद द्वय (2)	मीराँ	राज.	19वीं.श.	94,95		286
604	1882(172)	पद द्वय(2)	मीराँ	ब्रज	19वीं श.	115वां		286
605	1832(179)	पद द्वय(2)	मीराँ	ब्रज	19वीं. श.	118,119		286
617	1890(32)	पद द्वय (2)	मीराँ	राज.	19वीं. श.	34,35		287
618	1890(48)	पद द्वय(2)	मीरा	ब्र.हि.	19वीं.श.	42,43		287
638	1882(219)	पद द्वय(2)	मीराँ	त्र.हि.	19वीं.श.	167, 169		288
726	3408	मीराँ आदि के अनेक रा. पद संग्रह		मीराँ	1860.	20		293
639	1890(220)	पद द्वय(2)	मीराँ	त्र.हि.	19वीं.श.	169वां		288

राजस्थानी–हिन्दी हस्तलिखित ग्रन्थ सूची

भाग–3

क्र.सं.	क्रमांक	ग्रन्थ–नाम	कर्त्ता	लिपिकाल (वि.सं.मे)	पत्र संख्या	ग्रन्थांक	विशेष ज्ञातत्व	सूची
1.	116	आरती	मीराँ	18वीं.श.	35वां	12298(20)		14
2.	486	गोरल(मीराँ व ननदबाँई ऊदा का सम्वाद	मीराँ	20वीं.श.	660,661	10847(29)	लि.स्था. महामन्दिर जोधपुर	58
3.	839	दोहा-पद आदि संग्रह	मीराँ	गु.1886	860,862	10845(7)1/9		100
4.	840	दोहा-पद आदि संग्रह	मीराँ	गु. 1886	860,862	10845(7)9		101
5.	1039	पद संग्रह	मीराँ	1999	609,612,619,620,624, 629,631,632,638,665,668 681,683,687,689,691, 751,753,754	10847(2)58		125
6.	1047	पद संग्रह	मीराँ	गु.1931	131वीं	10849(16) 17-19		127
7.	1052	पद संग्रह	मीराँ	गु. 1931	8,8,8,8,9,9,9,12,10,11 13,16,17,18,19	10849(11) 11-12		128

8.	10862 पद संग्रह (3) 11-16	मीराँ	गु. 1898	22,25,26,23,24,25,28 30,26,28,29	1058	129
9.	10862(5) पद संग्रह 16,18,20,22	मीराँ	गु. 1898	16,20,25,26,27,28, 30,210621,24,26,27	130	
10.	10899 पद संग्रह (5)1-10	मीराँ	20वीं.श.	15,16,97,54,5555,55-46, 60-61,85-87,89,90 95	1074	132
11.	10933 पद संग्रह (2)5-7	मीराँ	गु.1940	612,641,642,643,645, 646,649,650,651,652, 653,654,660	1079	133
12.	10936 पद संग्रह (1)6	मीराँ	गु.1934	15,62,67,71,73,75,76,80,81,86,87, 89091,92,94,96,97,104,105,106,110 112,113,116,117,118,128,129,130, 132,143,145,146,147,150,155,179, 173,175,177,178,182,186,205,207, 209,231,232,234,234,236,238,241, 242,256,458,266,267,273,274,275,279	1086	134
13	1067 पद संग्रह	मीराँ	गु.1883	558,559,563,565,573, 566,567,568,569,583,569,	10940(7)25-35	138

					570,571,582,569,570,581,585,573		
14	1099	पद संग्रह	मीराँ	गु.0937	99,99,100,100,100,103, 101,101,101,101,101, 102,103,104,102,103,104,104	10941(3)1-13	138
15.	1103	पद संग्रह	मीराँ	20वीं.श.	276,178,185,286,300,302, 303,339,381,345,342 356,358,358	10942(11)4-8	139
16.	1106	पद संग्रह	मीराँ	20वीं.श.	244,247,251,252,264,266, 267,317,319,	10944(6)1-12	140
17.	1109	पद संग्रह	मीराँ	20वीं.श.	390,397,397,398,399,400 401,402,402	10945(3)11-19	141
18.	1122	पद संग्रह	मीराँ	गु. 1940	471,472,473,782,482,509, 510,511,512,515,516,512,515	12311(11)1-7	144
19.	1130	पद संग्रह	मीराँ	गु.1934	34-35	12420(2)1-2	146
20.	1138	पद संग्रह	मीराँ	गु.1893	260,261,261,281,263,265, 266,269,274,276,280 283,268,269,283,270, 271,272,273,273,274,275 273,273,274,275,276,284,285	12421(18) 11-21	148
21.	1152	पद संग्रह	मीराँ/	19वीं.श.	158,158,172,175,178,182	12577(11)	150

			कबीर			11-22	
22.	1153	पद संग्रह	मीराँ	19वी.श.		12581(3)1-11	151
23.	1156	पद संग्रह	मीराँ	19वीं.श.		12586(1)1-5	151
24.	1159	पद संग्रह	मीराँ	19वीं.श.		12588(2)7-14	152
25.	1153	पद संग्रह	मीराँ	गु.1840		12590(1)8-20	153
26.	1166	पद संग्रह	मीराँ	20वीं.श.		12591(3)1-11	154
27.	1172	पद संग्रह	मीराँ	19वीं.श.	1,2,3रा, 1ला,1,11,13,14,15,16,18, 23,26,27,30,32,34,40,42, 3,5,5,10,11,36,37,41,43, 5,1,7,24,29,30,31,38,51,52,6,7,	12592(1)1-10	155
28.	1178	पद संग्रह	मीराँ	19वीं.श.	135,137,137,138,138वां 139वां 140,141,140,1412,141,142	12592(5)10-16	156
29.	1204	पद संग्रह (बधावारा)	मीराँ	गु.1897	66,67,124,125,67,71,74, 76,78,80,82,83,122,124 71,72,72,74,81,83,84,85,89	10864(2)1-8	161
30.	1246	पद संग्रह हरजस	मीराँ	19वीं.श.	6,14,44,46,48,57,59,62, 65,81,82,84,89,राग सोरठ, पुरज, बसन्त	10851(1)3	167

31.	12 47	पद संग्रह हरजस	मीराँ	18वीं.श.	89,95,99,100,103,107,109, 111,113,119,120,102, 183,103,118,119,104,194, 104,104,194,155	10851(3)16-20	168
32.	1263	पद संग्रह होरी	मीराँ	1940	550,551,553,554,556,558, 561,52574,575	12311(11)11—19	171
33.	2256	स्फुट पद संग्रह	मीराँ	18वीं.श.	133वां	12205(51)	356
34.	2261	स्फुट पद संग्रह	मीराँ	गु.1877	614वां	12226(20)	357
35.	2266	स्फुट पद संग्रह	मीराँ	गु.1943	95वां	12419(2)	358
36.	2290	स्फुट साखी, पद कवितादि	मीराँ	19वीं.श.	69वां	12581(8)1-13	364
37.	2472	न्रसीजी को मायरो	मीराँ	20वीं.श.	1-45	8411	416
38.	2615	पद संग्रह	मीराँ	19वीं.श.	1-92	9249(2)	423
39.	2626	पद संग्रह	मीराँ	गु.1841	849-850	10667(11)1-2	425

भाग-4
जोधपुर संग्रह

ग्रन्थांक—128

क्रं.	क्रमांक	ग्रन्थांक	ग्रन्थ—नाम	कर्त्ता	पत्र संख्या	पूर्ण अपूर्ण	लिपिकालवि, संवत्	विशेष ज्ञातव्य	सूची पत्र. सं.
1	973	13497 (7)2	पद संग्रह	मीराँबाई	18-159	पूर्ण	19वीं.श.		166
2.	974	13503(5) 2	पद संग्रह	मीराँबाई	1,2,4,7,9, 14	पूर्ण	19वीं.श.	राग बद्ध	166
3.	975	13503(4) 5	पद संग्रह	मीराँबाई	4,6,7,	पूर्ण	19वीं.श.		166
4.	976	14043(13)8	पद संग्रह	मीराँबाई	4(सा)	पूर्ण	गु.1912	166	
5.	1055	14969(2) 1-2	पद संग्रह कीर्तन के	मीराँबाई	1—25	पूर्ण	गु.1878—1900		180
6.	1130	13767(9)	पद संग्रह कालगडा के	मीराँबाई	132-137	पूर्ण	20वीं.श.		192
7.	1131	13767 (4) 1-13	पद-संग्रह (सबद)राग काफी	मीराँबाई	35-56 138वां	पूर्ण	20वीं.श.		192
8.	1134	13767(6) 1-5	पद—संग्रह राग खमाइची के	मीराँबाई	96-99	पूर्ण	20वीं.श.		192

9.	1140	13767(12) 1-2	पद-संग्रह राग भैरवी के	मीराँबाई	140-141	पूर्ण	20वीं.श.194	
10.	1142	13767(5) 1-15	पद-संग्रह राग सोरठ के	मीराँबाई	56-96	पूर्ण	20वीं.श.	194
11.	1143	14043(23) 1-4	पद-संग्रह रागसोरठ के	मीराँबाई	35,51,52	पूर्ण	1912	194
12.	1144	13767(3)1-5	पद—संग्रह रागबेरी	मीराँबाई	13-99	पूर्ण	20वीं.श.	196
13.	1153	14043(15) 1-8	पद-संग्रह वधावारा	मीराँबाई	6-44	पूर्ण	1912	196
14.	1177	14914 (51-52)	स्फुट पद संग्रहादि	मीराँबाई	202-203	पूर्ण	18वीं.श.	202
15.	1178	14336(8)1-4	स्फुट पद-संग्रहादि	मीराँबाई	114-117	पूर्ण	19वीं.श.	202
16.	1185	14359(6) 1-7	स्फुट पद-संग्रह साखी	मीराँबाई	1-25	पूर्ण	19वीं.श.	204
17.	1189	14363(3) 1-11	स्फुट पद-संग्रह	मीराँबाई	17-32	पूर्ण	19वीं.श.	204
18.	1193	15609(1) 1-13	स्फुट पद-संग्रह	मीराँबाई	1-9	पूर्ण	गु.1789	206
19.	1194	15609(5) 1-6	स्फुट पद-संग्रह	मीराँबाई	26-32	पूर्ण	गु.1789	206

20. 1200	14351(4) 1-9	स्फुट पद-संग्रह	मीराँबाई	33-41	पूर्ण	19वीं.श.		206
21. 1202	14434(4) 1-10	स्फुट पद-संग्रह	मीराँबाई	47-72	पूर्ण	गु.1880		208
22. 1207	14473(4) 1-6	स्फुट पद-संग्रह	मीराँबाई	38-43	पूर्ण	20वीं.श.		208
23. 1210	14474(3) 1-22	स्फुट पद-संग्रह	मीराँबाई	60-103	पूर्ण	1845		210
24. 1211	14434(2) 1-14	स्फुट पद संग्रह	मीराँबाई	1-32	पूर्ण	1880		210
25. 1215	14388(6) 1-4	स्फुट पद-संग्रह	मीराँबाई	1-12	पूर्ण	20वीं.श.		210
26. 1216	14388(4) 1-16	स्फुट पद-संग्रह	मीराँबाई	1-38	पूर्ण	20वीं.श.	रागबद्ध	212
27. 1218	14388 (10)1-6	स्फुट पद-संग्रह	मीराँबाई	31-42	पूर्ण	20वीं.श.		212
28.	(12)1-8	पद-संग्रह						
29. 1224	14909(2) 1-18	स्फुट पद-संग्रह	मीराँबाई	1-44	पूर्ण	19वीं.श.	राग बद्ध मीराँ के पदों में बगतावर मीराँ बड़भागण का	214

							प्रयोग हुआ है	
30. 1225	14909(2) 2-10	स्फुट पद-संग्रह	मीराँबाई	44-55	पूर्ण	19वीं.श.	राग बद्ध	214
31. 1226	14909(2) 1-16	स्फुट पद-संग्रह	मीराँबाई	74-112	पूर्ण	19वीं.श.	राग बद्ध	214
32. 1228	14909(4) 1-24	स्फुट पद-संग्रह	मीराँबाई	126-225	पूर्ण	19वीं.श.	राग बद्ध	214
33. 1231	14969(2) 1-24	स्फुट पद-संग्रह	मीराँबाई	13-35 39-51	पूर्ण	20वीं.श.		216
34. 1232	14373(7)	स्फुट पद-संग्रह	मीराँबाई	5-24	पूर्ण	20वीं.श.		216
35. 1238	13511	स्फुट पद-संग्रह	मीराँबाई	133-139	पूर्ण	19वीं.श.		216
36. 1249	14043 (14) 1-10	पद-संग्रह होरी के धमाल	मीराँबाई	9-10	पूर्ण	1912	18,36वां	220
37. 2573	14416 (10)	स्तवन गौतम सज्झाय आदि	मीराँबाई	51-80	पूर्ण	गु.1819	प्रारम्भ में संस्कृत की कृतियाँ हैं।	440
38. 2587	14357(1)	स्तवन पद गजल आदि	मीराँबाई	10-29	पूर्ण	1911		444

राजस्थानी हिन्दी हस्तलिखित ग्रन्थ सूची

भाग-5

जयपुर संग्रह

क्र.सं.	क्रमांक	ग्रन्थांक	ग्रन्थ-नाम	कर्त्ता एवं टीकाकार	पत्रसंख्या	पूर्ण/अपूर्ण	लिपिकाल	विशेष ज्ञातव्य	सूची पत्र
1.	339	7019(178)	पद-संग्रह	मीराँ	140	पूर्ण	20वीं.श.		52
2.	344	4735(1)	पद-संग्रह	मीराँ	1	पूर्ण	19वीं.श.		54
3.	345	2196	पद-संग्रह	मीराँ	116	पूर्ण	19वीं.श.		54
4.	352	2415	पद-संग्रह	मीराँ	3	पूर्ण	19वीं.श.		56
5.	361	3103	पद-संग्रह	मीराँ	6	पूर्ण	19वीं.श.		56
6.	364	4043	पद-संग्रह	मीराँ	98	अपूर्ण	19वीं.श.		56

भाग-6

जयपुर संग्रह

ग्रन्थांक-143

क्र.	क्रमांक	ग्रन्थाक	ग्रन्थ-नाम	कर्त्ता एवं टीकाकार	पत्रसंख्या	पूर्ण। अपूर्ण	लिपिकाल	विशेष ज्ञातव्य	सूची पत्र
1.	380	9480(10)	पद-संग्रह	मीराँ	75-107	पूर्ण	19वीं.श.	60	
2.	389	11656	पद-संग्रह	मीराँ	42	पूर्ण	19वीं.श.		62
3.	64	कृष्ण-पद	मीराँ	रा.	27				309
4.	65	कृष्ण-पद	मीराँ	रा.	37				309

भाग-7
जोधपुर-संग्रह
ग्रन्थांक-163

1.	591	17765	स्फुट पद संग्रह	मीराँ	19-122	पूर्ण	1648		94
2.	986	16986	पद-संग्रह	मीराँ	1-141	पूर्ण	19वीं.श.		154

भाग-9
अलवर-संग्रह
ग्रन्थांक-156

1.	441	5024(29)	पद-सोरठा आदि	मीराँ	25-34	पूर्ण	1916	लि.क.	72
	442	5023(29)	पद-सोरठा आदि	मीराँ	239-255	पूर्ण	1933	गंगाधर मिश्रा	72
2.	444	4696(6)	पद-संग्रह	मीराँ	279-347	पूर्ण	20वीं.श.		74
3.	470	5995(3)	फुटकर भजन	मीराँबाई	1-2, 46-57	अपूर्ण	19वीं.श.	जीर्ण	78
4.	636	6284	स्फुट–भजन	मीराँबाई	1-23	अपूर्ण	20वीं.श.	जीर्ण लि. स्था. अलवर अन्त अपूर्ण तथा लिपि अस्पष्ट है।	104

भाग-10
उदयपुर शाखा (देराश्री संग्रह)
ग्रन्थांक–158

1	582	4263(1)	स्फुट काव्य मीराँ	1-16	पूर्ण	20वीं.श.	17वां पत्र रिक्त	94
2	592	4169(2)	स्फुट पद-संग्रह	मीराँ	105-109	पूर्ण	18वीं.श.	96
3	593	4169(4)	स्फुट पद-संग्रह	मीराँ	113-87	पूर्ण	1882	96
4	594	4215(5)	स्फुट पद-संग्रह	मीराँ	14	अपूर्ण	1882	96
5	595	4314(4)	स्फुट पद-संग्रह	मीराँ	11-73	पूर्ण	1880	96

भाग-11
जोधपुर-संग्रह
ग्रन्थांक-153

1.	366	24454(6)	कवित्त	मीराँ	1-16	पूर्ण	19वीं.श.		58
2.	730	22475(25)	पद भगती रो.	मीराँ		पूर्ण	1948		114
3.	753	22482(17)	पद-संग्रह	मीराँ		पूर्ण	19वीं.श.	जीर्ण, पत्र त्रुटित व कीटविद्ध	118
4.	799	22545(14)	स्फुट-पद	मीराँ		पूर्ण	19वीं.श.		126
5.	802	23062(2)	स्फुट-पद	मीराँ		पूर्ण	19वीं.श.	जीर्ण	126
6.	805	23919(14)	स्फुट-पद	मीराँ		पूर्ण	19वीं.श.		126
7.	806	24165(3)	स्फुट-पद	मीराँ		पूर्ण	19वीं.श.	द्वितीय रचना	

						संस्कृत में है?		126
8	818	22496(4)	पद संग्रह	मीराँ	पूर्ण	19वीं.श.	इसमें अनेक सन्तों का उल्लेख है। मीराँ के पद भी हैं।	130
9	819	22502(6)	पद-संग्रह	मीराँ	पूर्ण	19वीं.श.	लि.क. रानारायण	130
10	826	23062(5)	पद-संग्रह	मीराँ	पूर्ण	19वीं.श.	पत्र कीट-भक्षित	130
						पत्र 29-32	पर रचना संस्कृत में	
11	829	24172	स्फुट-पद	मीराँ	पूर्ण	19वीं.श.	जीर्ण	132
12	832	24440(14)	स्फुट-पद	मीराँ	पूर्ण	1930		132
13	834	24442(10)	स्फुट-पद	मीराँ	पूर्ण	19वीं.श.		132
14	904	22476(6)	फुटकर-पद	मीराँ	पूर्ण	19वीं.श.	इसमें अनेक सन्तो की वाणी के साथ मीराँ के पद हैं	144
15	1296	22240(6)	होरियाँ	मीराँ	पूर्ण	19वीं.श.		204
16	840	24471(9)	स्फुट-पद	मीराँ	पूर्ण	19वीं.श.		134
17	1299	22137(44)	होरी-संग्रह	मीराँ	पूर्ण	19वीं.श.		206

भाग-13

उदयपुर-संग्रह

ग्रन्थांक-172

1	834	2267(9)	स्फुट कवित दोहा	मीराँ	78-84	पूर्ण	19वीं.श.	17वां पत्र रिक्त	132
2	1063	2752	नरसीजी रो माहेरो	मीराँ	56	पूर्ण	2003		168
3	1105	2504(3)	पद संग्रह	मीराँ	43-82	पूर्ण	19वीं.श.		174
4	1108	4013(15)	पद-संग्रह	मीराँ	197-205	पूर्ण	19वीं.श.		176
5	1137	2267(1)	फुटकर कवीता पर स्तुति	मीराँ	34-51	पूर्ण	19वीं.श.		180
6	1151	1946	फुटकर पद संग्रह	मीराँ	85-89	अपूर्ण	19वीं.श.		182
7	1157	2594	फुटकर पद संग्रह	मीराँ	10	अपूर्ण	18वीं.श.		184
8	1165	2288(8)	फुटकर पद संग्रह	मीराँ	21-24	पूर्ण	19वीं.श.		184
9	1168	2504(1)	फुटकर पद संग्रह	मीराँ	40	पूर्ण	19वीं.श.		186
10	1170	2571(2)	फुटकर पद संग्रह	मीराँ	28-47	पूर्ण	19वीं.श.		186
11	1273	4056	राग पद संग्रह	मीराँ	48	पूर्ण	20वीं.श.		202
12	1475	2423(1)	स्फुट-पद	मीराँ	6	पूर्ण	19वीं.श.		232
13	1482	3007(1)	स्फुट-पद	मीराँ	4	पूर्ण	18वीं.श.		234
14	1488	3213(11)	स्फुट-पद	मीराँ	88-96	पूर्ण	19वीं.श.		234
15	1491	3993(15)	स्फुट-पद	मीराँ	155-159	पूर्ण	19वीं.श.		236

भाग-14
भरतपुर-संग्रह
ग्रन्थांक–180

क्र.सं.	क्रमांक	ग्रन्थांक	ग्रन्थ नाम	कर्त्ता	पत्र संख्या	पूर्ण/अपूर्ण	लिपिकाल	विशेष ज्ञातत्व	सूची पत्र
1	प 794	230	पद-संग्रह	मीराँ	1-70	अपूर्ण	1900	प.स.2-27 तक अलिखित और इसमें अनेक भक्तों की टीकाकार दी गई है।	124
2	प 795	238	पद-संग्रह	मीराँ	122	अपूर्ण	19वीं.श.	जीर्ण आधन्त अप्राप्त 87वां पत्र फटा है।	124
3	796	334(2)	पद-संग्रह	मीराँ	1–16	पूर्ण	19वीं.श.	लि.स्थान वृन्दावन	126
4	801	4079	पद-संग्रह	मीराँ	6	अपूर्ण	19वीं.श.	जीर्ण आधन्त अप्राप्त पत्र स्फुट है।	126
5	802	336	पद-संग्रह	मीराँ	32-64	पूर्ण	19वीं.श.		126
6	837	338	बाँसुरी	मीराँ	5	अपूर्ण	19वीं.श.	अन्तिम एक पत्र में श्याम सगाई भी है।	132
7	911	442	राधा-कृष्ण की लीलाएँ आदि	मीराँ	4-61	पूर्ण	19वीं.श.		144

भाग-15
जोधपुर-संग्रह
ग्रन्थांक-198

1	526	26643(12)	तलाणो गजल	मीराँ	164-173	पूर्ण	19वीं.	रागबद्ध	92
2	588	27817	नरसीजी रो मायरो	मीराँ	224-231	पूर्ण	19वीं.		102
3	591	25152(1)	नरसीजी रो मायरो	मीराँ	1-6	पूर्ण	19वीं.	रागबद्ध	102
4	619	25116(4)	पद-संग्रह	मीराँ	106-114	पूर्ण	20वीं.		106
5	632	26862(5)	पद-संग्रह	मीराँ	229-237	पूर्ण	19वीं.		110
6	641	26643(15)	पद-संग्रह	मीराँ	185-223	पूर्ण	19वीं.		110
7	642	26643(17)	पद-संग्रह	मीराँ	258-302	पूर्ण	19वीं.		110
8	643	26982	पद-संग्रह	मीराँ	15	पूर्ण	19वीं.	जीर्ण-शीर्ण	112
9	648	25186(4)	पद-संग्रह	मीराँ	27-49	पूर्ण	19वीं.		112
10	650	25344(1)	पद-संग्रह	मीराँ	1-15	पूर्ण	1896		112
11	651	25344(5)	पद-संग्रह	मीराँ	223-257	पूर्ण	19वीं.		112
12	653	26643(16)	पद-संग्रह	मीराँ	27	अपूर्ण	19वीं.	रागबद्ध	112
13	762	25539(4)	रागपद-संग्रह	मीराँ	164-192	पूर्ण	वि.सं.1913	सचित्र, ग्रन्थ है	130
14	791	27769(8)	रेखता,पद	मीराँ	212-227	पूर्ण	1819		134
15	792	25187(8)	रेखता पद-संग्रह	मीराँ	16-35	पूर्ण	19वीं.		134
16	802	25431(3)	लालबाबाजी का पद	मीराँ				136	

भाग–16
जोधपुर–संग्रह
ग्रन्थांक–199

1	368	28532	नरसीजी कौ मयरौ	मीराँ	29	पूर्ण	1865	64
2	396	28380	पद-संग्रह	मीराँ	1	अपूर्ण	19वीं.	68
3	414	30601	फुटकर पद-संग्रह	मीराँ	83	अपूर्ण	19वीं.	72
4	418	30670	फुटकर सबद संग्रह	मीराँ	77	अपूर्ण	19वीं.	72
5	534	28569	सन्तों को स्फुट पद	मीराँ	5	अपूर्ण	19वीं.	90
6	571	28187	स्फुट पद	मीराँ	1	पूर्ण	19वीं.	96
7	585	29066(1)	हरिजस	मीराँ	108	पूर्ण	1940	98
8	586	29066(2)	हरिजस	मीराँ	109-122	अपूर्ण	1940	98

मीराँ पदावली से युक्त हस्तलिखित ग्रन्थों की सूची

भाग–1

क्र.सं.	क्रमांक	ग्रन्थांक	ग्रन्थ नाम	कर्त्ता	पत्र संख्या	विषय	लिपिकाल	विशेष ज्ञातव्य	सूची पत्र
1	673	182(2)	पद कविता आदि	मीराँ	3(1-3)	सन्त साहित्य	20वीं.		74
2	684	145	पद (भजन)संग्रह	मीराँ	61		20वीं.		76
3	690	209	पद संग्रह हरिजस	मीराँ	38	सन्त साहित्य	20वीं.		76
4	865	289(4)	भजन पद संग्रह	मीराँ	6(105-110)		19वीं		93
5	1417	288(2)	अष्टपदी	मीराँ	19(83-101)	सन्त साहित्य	19वीं.		144

				आदिभजन संग्रह					
6	1480	109	पद संग्रह	मीराँ		सन्त सहित्य	20वीं		15
7	1481	131	पद संग्रह	मीराँ		सन्त साहित्य	19वीं		15
8	1484	617(3)	पद संग्रह	मीराँ		भक्ति	19वीं		15
9	1616	130	हरिजस	मीराँ			20वीं.		16

भाग-2

क्र.सं.	क्रमांक	ग्रन्थांक	ग्रन्थ नाम	कर्त्ता	पत्र संख्या	विषय	लिपिकाल	विशेष ज्ञातव्य	सूची पत्र
1	787	1057	पद	मीराँ	6	भक्ति	19वीं		76
2	1537	1667	स्फुट पद संग्रह	मीराँ	4	भक्ति	18वीं	अंत में स्फुट दोहे हैं।	148

भाग-3

क्र.सं.	क्रमांक	ग्रन्थांक	ग्रन्थ नाम	कर्त्ता	पत्र संख्या	विषय	लिपिकाल	विशेष ज्ञातव्य	सूची पत्र
1	1913	3360(7)	भक्ति के स्फुट पद	मीराँ	6	भक्ति	20वीं		206

भाग-4

क्र.सं.	क्रमांक	ग्रन्थांक	ग्रन्थ नाम	कर्ता	पत्र संख्या	विषय	लिपिकाल	विशेष ज्ञातव्य	सूची पत्र
1	1331	4670(1)	मीराँ पद	मीराँ	1	भक्ति के पद	लिपिकर्त्ता-व्यास चतुर्भुज		122

भाग-5

क्र.सं.	क्रमांक	ग्रन्थांक	ग्रन्थ नाम	कर्त्ता	पत्र संख्या	विषय	लिपिकाल	विशेष ज्ञातव्य	सूची पत्र
1	224	7145(3)	कबीर व मीराँ के स्फुट पद		मीराँ	17(15 से 32	सन्त साहित्य		23
2	885	6853	नरसीजी रो मयरो	मीराँ	62	भक्ति	18वीं		91
3	1673	7187(6)	लावणी व स्फुट पद	मीराँ	3 (24 से 26)	सन्त साहित्य	1834		159
4	1769	7163(1)	समवाणी व हरिजस	मीराँ	35	सन्त साहित्य	19वीं		179
5	2276	6299	सन्त पदावली	मीराँ	210	सन्त साहित्य	18वीं		230

भाग–6

क्र.सं.	क्रमांक	ग्रन्थांक	ग्रन्थ नाम	कर्त्ता	पत्र संख्या	विषय	लिपिकाल	विशेष ज्ञातव्य	सूची पत्र
1	800	7649(5)	बरामासौ व हरिजस	मीराँ	3	राजस्थानी			85
2	912	7639(1)	स्फुट पद	मीराँ	8	राजस्थानी			96
3	927	7573	स्फुट पद संग्रह	मीराँ	1	राजस्थानी			98
4	928	7580	स्फुट पद संग्रह	मीराँ	1	राजस्थानी			98
5	932	7639(19)	स्फुट पद संग्रह	मीराँ	10	राजस्थानी	अन्त में स्फुट मन्त्र		98
6	1459	8224	सन्त पद संग्रह	मीराँ	41	राजस्थानी			152
7	1490	8290(13)	स्फुट पद	मीराँ	21	राजस्थानी			155
8	1496	7665(12)	स्फुट पद	मीराँ	10 (81-90)	राजस्थानी			156
9	1498	1664(2)	स्फुट पद	मीराँ	165(7-172)	राजस्थानी			156
10	1499	7624(8)	स्फुट पद	मीराँ	7(41-48)	राजस्थानी			156
11	1505	7608(27)	स्फुट भजन संग्रह	मीराँ		राजस्थानी			157

भाग–7

1	339	8758	मीराँ के पद	मीराँ	1	राजस्थानी		आधा-अधूरा पत्र कटा-फटा	36
2	342	8764	राग पद संग्रह	मीराँ	1	राजस्थानी	18वीं		36
3	393	9069	स्फुट पद संग्रह	मीराँ	1	राजस्थानी	1834	कृष्ण भक्ति के पद	41
4	395	9071	स्फुट पद	मीराँ	1	राजस्थानी	19वीं	पत्र कटा-फटा एवं जीर्ण	42
5	408	9053(1)	स्फुट पद संग्रह	मीराँ	26(1–26)	राजस्थानी	18वीं	अनेक सन्त का उल्लेख है जिसमें मीरा का उल्लेख भी किया है। कृष्ण भक्ति के पद राग-रागिनियों के आधार पर।	43
6	412	9105 (2)	स्फुट पद संग्रह	मीराँ	1	राजस्थानी		राग-रागिनी के आधार पर लिखे पद। खरड़े नुमा लम्बा पत्र विविध नाप के बिखरे हुए तथा कट-फटे पत्र जिन पर भी स्फुट भक्ति के पद लिखे हैं।	44
7	782	9122(1)	दादूदयालजी की वीणा आदि	मीराँ	37(1-37)	राज.		इसमें अनेक सन्तों तथा दादूदयालजी की वाणी लिखी है। और मीराँ का भी उल्लेख किया है।	83
8	916	8786(3)	स्फुट पद	मीराँ	11(9-19)	राज.			96

9	920	9058	स्फुट पद	मीराँ	1	राजस्थानी			97
10	924	9120	स्फुट पद	मीराँ	13 (1-124)	राजस्थानी			95
11	933	9163(1)	स्फुट पद	मीराँ	124(1-124)	राजस्थानी		अपूर्ण	98
12	934	9163(6)	स्फुट पद	मीराँ	122(152-266)	राजस्थानी			99
13	938	9055(2)	स्फुट पद संग्रह	मीराँ	27(6-32)	राजस्थानी			99

भाग–8

1	549	9710(22)	पद	मीराँ	8(229-236)	राज.	8(229-236)		45
2	550	9638(4)	पद संग्रह	मीराँ	41(52-93)	राज.		ग्रन्थ के पत्र फटे हुए। पद विभिन्न राग-रागनियों के आधार पर।	46
3	636	9664(3)	स्फुट पद	मीराँ	1(4)	राज.			53
4	637	9664(94)	स्फुट पद	मीराँ	(169)	राज.			53
5	647	9727(9)	स्फुट पद	मीराँ	(5)	राज.			54
6	655	9669(1)	हरिजस	मीराँ	9(1-9)	राज.		कीट भक्षित।	55
7	955	9640(2)	पद संग्रह	मीराँ	85(10-85)	राज.		अपूर्ण विभिन्न राग-रागनियों के आधार पर	80
8	990	9669(4)	स्फुट पद	मीराँ	4(26-29)	राज.			83
9	991	9669(8)	स्फुट पद	मीराँ	17 (57-70)	राज.			83
10	1001	10437(7)	स्फुट पद	मीराँ	3.5(52-56)	राज.			84

महाराजा मानसिंह पुस्तक प्रकाश अनुसन्धान केन्द्र महरानगढ़, जोधपुर
मीराँबाई की पदावली से युक्त हस्तलिखित ग्रन्थों की सूची
भाग–1

1	1884	1353	पद संग्रह (1)	मीराँ	40	18वीं		
2	1888	1357	पद संग्रह (5)	मीराँ	20	19वीं	कबीर, मीराँ आदि के पद	
3	1895	1365	पद संग्रह(12)	मीराँ	6(8-13)	20वीं.	कृष्ण भक्ति के पद	
4	1896	1366	पद संग्रह(13)	मीराँ	99	1891		
5	1905	1374	पद संग्रह(22)	मीराँ (99-100)	9(84-90)	19वीं.		
6	1907	1376	पद संग्रह (24)	मीराँ	41(4-44)	19वीं	अपूर्ण	
7	1909	1377	पद संग्रह मीराँ	75		19वीं	अपूर्ण	
8	1918	1383	मीराँ के पद (1)	मीराँ	6(40-45)	19वीं		23
9	1919	1383क	मीराँ के पद (2)	मीराँ	5	19वीं		91
10	1936	1395	हरिजस(2) मीराँ	11(14-24)		1847	51पद	159
11	1898	1367क	पद संग्रह(15)	मीराँ	275-31	19वीं	विविध रागों में मीराँ आदि के पद	179
12	1908	1376क	पद संग्रह (25)	मीराँ	533-37	19वीं		230

मीराँबाई की प्रामाणिक पदावली

विश्वविख्यात वैष्णव भक्तआत्मा मीराँबाई के भक्ति उद्बोधनों को पदावली, भजनावली, हरिजस, वाणी, गीति काव्य आदि विविध नामों से प्रचारित किया गया है। मीराँबाई ने अपने प्रभु 'गिरधर नागर' के प्रति अन्तर्मन के भक्तिभावों को तत्कालीन लोकभाषा राजस्थानी में अभिव्यक्त किया है। मीराँ के साँवरिया गिरधर के प्रति व्यक्त अनन्य अनुभूति विविध रूपों एवं ग्रन्थों में लिपिबद्ध है। इन समस्त रूपों में मीराँ-पदावली का स्वरूप ही सर्वाधिक लोकप्रिय हुआ। मेड़तणी मीराँबाई के पदों, हरिजसों, भजनों अथवा वाणी के दो रूप हमारे समक्ष हैं—एक लौकिक (मौखिक) तथा द्वितीय लिखित। अनुसंधानपरक अध्ययन की दृष्टि से मीराँ के लिखित पदों को अधिक प्रमाणिक माना जाता है, क्योंकि उनका समय, स्थान, भाषा एवं स्वरूप निश्चित किया जा सकता है, जबकि लोक प्रचलित मौखिक परम्परा में प्राप्त पदों को प्रमाणिक सिद्ध कर पाना कठिन ही नहीं, असम्भव भी है। पाठालोचन की दृष्टि से भी पदों की लिखित परम्परा ही अध्ययन एवं अनुसंधानयोग्य मानी जाती है।

मीराँ काव्य का मौखिक स्वरूप

मीराँबाई का काव्य मुख्य रूप से मौखिक परम्परा में ही विद्यमान रहा है और लगभग चार सौ, पाँच सौ वर्षों से यह लोक जीवन में व्याप्त रहा है। यही कारण है कि इसमें अनेक पाठान्तर मिलते हैं तथा भाषा एवं पद रचना की दृष्टि से वैविध्य मिलता है किन्तु मीराँ के पदों की मूल चेतना एवं भक्ति का स्वर समान है।

मीराँ के लौकिक काव्य का गायन शिष्ट एवं पिछड़ी मानी जाने वाली जातियों के गायक—गायिकाओं को गायन में भी सुरक्षित रहा है। लोक ने ही मीराँ काव्य के संग्रहित कर सुरक्षित रखा है। मीराँ का यह लौकिक काव्य लोक चेतना, लोक आस्था तथा लोक वाणी में अभिव्यक्त हुआ है। लोक ने मीराँ के प्रति अत्यन्त श्रद्धा भाव रखकर तथा मीराँ द्वारा अपने आराध्य 'गिरधर नागर' के प्रति एकनिष्ठ भक्ति—भाव को सम्मान देते हुए उन्हें लोक आस्था का आधार बनाया है। अतः मीराँ के लौकिक पदों में लोक का स्वर अधिक प्रबल है उसमें किंवदन्तियाँ अथवा अतिश्योक्तियाँ विद्यमान हैं। कहीं-कहीं ऐतिहासिकता के विपरीत जनभावना की अभिव्यक्ति भी हुई है जिसे प्रामाणिक सामग्री के आधार पर शुद्ध किया जा सकता है। इतना आवश्यक है कि मीराँ के इस सम्पूर्ण लौकिक काव्य का संकलन एक स्थान पर किया जाए और उसे अन्वेषण के मापदण्डों के आधार पर शुद्ध किया जाए। इस शुद्धिकरण में अनेक मापदण्ड रखे जा सकते हैं जिनमें मीराँ की भाषा, भक्ति साधना ऐतिहासिक घटनाएँ, युगीन परिवेश,

धार्मिक एवं सांस्कृतिक मापदण्ड प्रमुख हो सकते हैं। मैंने इसी आधार पर मीराँ के प्रस्तुत पदों को पाठकों के समक्ष रखने का प्रयास किया है। मैंने अध्यावधि मीराँ काव्य के लिखित स्वरूप में प्राप्त पदों को लौकिक मीराँ काव्य की पृष्ठभूमि में प्रस्तुत करने का प्रयास किया है। मीराँ के प्रामाणिक पदों का प्रस्तुतीकरण श्रमसाध्य एवं कठिन कार्य है और मीराँ के मूलपाठ तक पहुँचने का प्रथम सोपान है। मेरी यह निश्चित मान्यता है कि मीराँ का साहित्य केवल पदों, भजनों, हरिजसों अथवा वाणियों के रूप में ही उपलब्ध है और इसकी संख्या तीन सौ से अधिक नहीं है। यह कहना कि मीराँ ने अन्य ग्रन्थ यथा (1) गीतगोविन्द की टीका, (2) नरसी का माहेरो अथवा मायरो, (3) राग सोरठ का पद, (4) राग मलार, (5) राग गोविन्द, (6) सत्यभामानु रुसण, (7) रुकमणी मंगल, (8) नरसी मेहता नीं हुंडी, (9) मीराँ नी गरबी आदि भी ग्रन्थ रचे थे सत्य नहीं है क्योंकि मीराँबाई का उद्देश्य कभी साहित्य रचना करना नहीं रहा। वे तो मूलरूप में भक्त हैं और अपने प्रभु का भक्तिगान करना ही उनके जीवन का ध्येय रहा है। अन्य ग्रन्थों की रचना करने के लिए न तो मीराँ के पास समय था और न ही मानसिकता। मीराँ तो भक्त गायिका थी, कवयित्री नहीं। मीराँ को कवयित्री तो आधुनिक चिन्तकों ने बनाया है। मीराँ का भक्ति काव्य सप्रयास नहीं अनायास है। मीराँ के पद, क्लिष्ठ भाषा तथा छन्द–अलंकारों से मुक्त हैं। मीराँ के पदों में सहजता, सरलता, गहनता, एकनिष्ठता, अनन्य भक्तिभाव तथा समर्पण सर्वोपरि हैं। उनके पदों में विरह वेदना का गहनतम स्वरूप परिलक्षित होता है। मीराँ की अन्तर वेदना का स्पर्श भावुक पाठक को मीराँ काव्य श्रवण से सहज ही हो जाता है। अन्तर्मन की इसी वेदना को मीराँ ने सरल शब्दों में किन्तु अत्यन्त प्रभावशाली ढंग से अभिव्यक्ति दी है जो सम्पूर्ण विश्व में अद्वितीय मानी जाती है।

मीराँ काव्य का लिखित स्वरूप

मीराँ के पदों के अनेक संग्रह अद्यावधि प्रकाशित हुए हैं, जिनमें पदों की संख्या 20 से लेकर 1311 के मध्य है। इन मीराँ पद-संग्रहों के सम्पादकों ने स्वयं निर्धारित मापदण्डों के आधार पर इनका सम्पादन किया है किन्तु समस्त ग्रन्थों में मीरा के पदों की संख्या, भाषा तथा स्थान भिन्न हैं। अतः यह विचारणीय विषय बना कि मीराँ की प्रामाणिक पदावली किसे माना जाए?

मीराँबाई की जीवनी, भक्तिकाव्य एवं भक्ति–साधना को आधार बनाकर लगभग 100 से अधिक ग्रन्थों का प्रकाशन अभी तक हो चुका है। विविध विश्वविद्यालयों में अनुसंधानपरक अध्ययन भी हुए हैं जिनमें डॉ. सी.एल. प्रभात का शोध प्रबन्ध 'मीराँबाई' तथा डॉ. कल्याणसिंह शेखावत का शोधप्रबन्ध 'मीराँबाई का जीवनवृत एवं काव्य'।

अन्य विद्वानों में नरोत्तम दास स्वामी 1, ललितप्रसाद सुकुल 2, मुरलीधर श्रीवास्तव 3, स्वामी आनन्दस्वरूप, डॉ. मन्जुलाल 5, परशुराम चतुर्वेदी 6, हरिनारायण पुरोहित 7, बाँकेबिहारी भटनागर 8, अगरचन्द नाहटा 9, डॉ. मनोहर शर्मा 10, लालसिंह शक्तावत 11, डॉ. महावीरसिंह गहलोत 12, गोपालसिंह बदनोर आदि प्रसिद्ध हैं जिन्होंने मीराँबाई के पदों को प्रकाश में लाने का महत्त्वपूर्ण कार्य किया है। स्वामी आनन्दस्वरूप तथा पद्मावती शबनम ने अनुसन्धान के मापदण्डों को आधार नहीं बनाकर केवल भक्तिभाव से मीराँ के पदों के संकलन प्रकाशित किए हैं। इन ग्रन्थों में लिपिबद्ध मीराँ के पद लिखित परम्परा से प्राप्त किसी हस्तलिखित प्रति से नहीं लिए गए हैं, अपितु लोक प्रचलित मीराँ के पदों को उनकी प्रामाणिकता पर विचार किए बिना संकलित किया गया है। मीराँबाई के पदों के ऐसे संकलन पूर्व में भी संगीत रागकल्पद्रुम (सन् 1842) तथा, 'बृहतकाव्य दोहन (सन् 1897), मीराँ आफ उदयपुर (सन् 1901), गाथा पंचक (सन् 1908), प्राचीन काव्य सुधा (सन् 1922), मीराँबाई, सहजोबाई, दयाबाई–वियोगी हरि (सन् 1930), भजन संग्रह-वियोगी हरि (सन् 1937), जैसे महत्त्वपूर्ण ग्रन्थों में प्रकाशित हुए हैं।

मीराँ की प्रामाणिक पदावली के मुख्य आधार–सगुण वैष्णव भक्त के रूप में लोकप्रसिद्ध मेड़तणी मीराँ के प्रामाणिक पदों के निर्धारण हेतु कुछ कसौटियाँ निर्धारित करनी होंगी क्योंकि मीराँ के नाम अथवा छाप वाले समस्त पद मीराँ कृत नहीं हैं।[13] श्री कृष्ण लाल के मतानुसार :–"उत्तर भारत में मीराँ माधुर्य भाव की भक्ति को पीछे के सन्तों ने जिस प्रकार 'कहे कबीर सुनों भाई साधो' लिखकर कितने ही निर्गुण पदों को कबीर की रचना में शामिल कर दिया, उसी प्रकार 'मीराँ के प्रभु गिरधर नागर' लिखकर कितने ही लीला और मधुर भाव के पद मीराँ के नाम से प्रचलित कर दिए गए जो मौखिक परम्परा से प्रचार पाकर आज मीराँबाई की रचनाएँ समझी जाने वाली हैं। आज मीराँ के नाम से सैकड़ों पद मिलते हैं। वे सभी उस मधुर भाव की प्रतियाँ मीराँ की रचना नहीं हैं वरन् मीराँ की भक्ति–भावना के प्रति श्रद्धा रखने वाले एक समुदाय की रचनाएँ हैं, जिनमें मीराँ प्रतीक रूप में विद्यमान है। कुछ चिन्तकों ने यह प्रश्न भी उठाया था कि मीराँ के नाम से प्राप्त होने वाले समस्त पद स्वयं मीराँबाई के द्वारा रचित और लिपिबद्ध हैं अथवा मीराँ द्वारा कालान्तर में किसी अन्य द्वारा लिपिबद्ध हुए हैं। इन प्रश्नों के उत्तर इतने सरल नहीं हैं किन्तु मीराँबाई जीवनवृत्त के गहन अध्ययन से इन प्रश्नों का अनुसन्धान किया जा सकता है।

मीराँ तत्कालीन व्यवस्था के अनुरूप शिक्षित विदुषी नारी थी। उन्हें धर्म, साहित्य एवं संगीत की शिक्षा पुरोहित गजाधर द्वारा दी गई थी। उन्हें संगीत की राग-रागिनियों का ज्ञान था यही कारण है कि मीराँ के पद राग-रागिनियों

से युक्त हैं। मीराँबाई को नृत्य का भी ज्ञान था। 14 मीराँ ने अपने अन्तर्मन की अनुभूति को अपनी मातृभाषा में अभिव्यक्ति दी थी जिसमें स्वान्तःसुखाय तथा आत्म-समर्पण का भाव सर्वोपरि है।

यह सम्भव है कि मीराँ द्वारा भावावेश में गेय पदों को किसी अन्य ने उनके समय तथा कालान्तर में लिपिबद्ध किया हो। 15 वर्तमान में मीराँबाई के नाम से प्रचलित समस्त पदों, हरिजसों, भजनों अथवा वाणियों को एक स्थान पर अकारदि क्रम से संकलित करके निम्नलिखित मानदण्डों के आधार पर उनकी प्रामाणिकता पर विचार किया गया है।

मानदण्ड–

1. ऐतिहासिक घटनाओं के आधार पर
2. भाषा के आधार पर
3. मीराँ की भक्ति साधना के आधार पर
4. युगीन परिवेश के आधार पर
5. लोक मान्यताओं के आधार पर
6. विभिन्न सम्प्रदायों की हस्तलिखित प्रतियों के आधार पर
7. पाठालोचन पद्धति के आधार पर
8. धार्मिक एवं सांस्कृतिक आधार पर

मीराँ स्वयं भक्ति के आवेश में पदों का गायन करती थी। यह तो नहीं कहा जा सकता कि कबीर की तरह उन्होंने 'मसि और कागद' को छुआ नहीं होगा, पर यह भी सत्य है कि 'गिरधर नागर' के माधुर्य रस में सिक्त तथा उनके ध्यान में तल्लीन मीराँ जब अपनी वेदना को अभिव्यक्त करने हेतु भाव विभोर होकर 'पद' गाती होंगी, तो कभी-कभी पूर्व–नियोजित पंक्तियों अथवा शब्दों में परिवर्तन हो ही जाता होगा। प्रतिलिपिकार भी प्रायः रचनाओं में यंत्र-तंत्र परिवर्तन कर देते हैं। गायन में यह परिवर्तन हो जाना और भी स्वाभाविक है। यह भी सम्भव है कि ब्रज यात्रा तक लिखे किसी पद में द्वारिका पहुँचने तक कुछ परिवर्तन हो गया हो और उस पर का द्वारिका रूप ब्रज के रूप से भिन्न हो गया हो। इस प्रकार मीराँबाई की विभिन्न प्रतिलिपि परम्पराओं के आदि पाठों में भी कहीं-कहीं थोड़ा बहुत अन्तर रहा होगा, परन्तु व्यावहारिक दृष्टि से मीराँ के संकलन के आधार पाठ को, जिसमें मीराँ के पदों के अनुसन्धान का अन्तिम रूप होगा, मीराँ के पदों का आदर्श पाठ मानना चाहिए। पाठ सम्बन्धी अध्ययन का उद्देश्य यथाशक्ति मूलपाठ पाठक तक पहुँचाना होता है।

कहा जाता है कि ललिता दासी मीराँ के पद लिखती चलती थी। उनके हाथ की लिखी पोथी का क्या हुआ, कोई नहीं जानता। कुछ विद्वानों का कथन है कि द्वारिका के रणछोड़जी के मन्दिर में मीराँ के पदों की हस्तलिखित प्रति

मौजूद है किन्तु कम से कम इस समय मीराँ के पदों की कोई हस्तलिखित पोथी द्वारिका के रणछोड़जी के मन्दिर में नहीं है। डाकोर के रणछोड़जी के मन्दिर में भी इस प्रकार की कोई पोथी नहीं है।[16]

ऐतिहासिक घटनाओं के आधार पर मीराँ के पदों की प्रामाणिकता का मूल्यांकन :—मीराँबाई के जीवनवृत्त से सम्बन्धित अनेक घटनाओं के सम्बन्ध में ऐतिहासिक प्रमाण उपलब्ध हो चुके हैं। अतः मीराँ के नाम से प्रचलित वे पद प्रामाणिक नहीं कहे जा सकते जिनमें इतिहास विरुद्ध उल्लेख हुए हैं जैसे (1) मुगल बादशाह अकबर तथा तानसेन का मीराँ से मिलना, (2) भक्तवर तुलसीदास के नाम मीराँ का पत्र तथा तुलसी के उत्तर वाले पद, (3) महाराणा कुम्भा को मीराँ के पति बताने वाले पद, (4) मेड़ता के राव जयमल को मीराँबाई का पिता सिद्ध करने वाले पद, (5) 'उदयपुर के राणा' सम्बोधन वाले पद।

इतिहास तथा अनुसंधान से यह पुष्ट हो चुका है कि मीराँ मेवाड़ के महाराणा सांगा के ज्येष्ठ पुत्र भोजराज की पत्नी थी, महाराणा कुम्भा की नहीं। मेड़ता के राव जयमल मीराँ के भाई थे, पिता नहीं। अकबर तथा तानसेन से मीराँ की भेंट कभी नहीं हुई। तुलसीदास जी से मीराँ का पत्र व्यवहार नहीं हुआ। मीराँ के जीवनकाल के अन्तिम समय में उदयपुर बसाया गया था। मीराँ के समय चितौड़ मेवाड़ की राजधानी थी।

इस प्रकार मीराँ के नाम से प्रचलित उपर्युक्त सन्दर्भों से युक्त समस्त पद अप्रामाणिक हैं।

भाषाई आधार :—मीराँबाई की मातृभाषा राजस्थानी थी। मीराँ के जन्म तथा बाल्यावस्था से सम्बन्धित तीन स्थान हैं : मेड़ता, कुड़की तथा बाजोली ग्राम। इन स्थानों पर उन दिनों राजस्थानी भाषा की प्रमुख बोली मारवाड़ी बोली जाती थी। अतः मीराँयुग में लोकप्रचलित मेड़ता क्षेत्र की लोकभाषा ही मीराँ के प्रामाणिक पदों की भाषा है। अतः अन्य भाषाओं यथा ब्रज तथा गुजराती में मीराँ के नाम से मिलने वाले पद प्रामाणिकता की कसौटी पर द्वितीय श्रेणी के पद ही माने जाएँगे।[16] मीराँ के युग (विक्रमी सम्वत् 1555 से 1604 तक) में प्रचलित मेड़ता क्षेत्र की लोकभाषा के उल्लेख उपलब्ध हैं। अतः उनसे तुलना करके मीराँ के पदों की भाषा का निर्णय किया गया है।

ब्रजभूमि में मीराँ का प्रवास अल्प समय का है। मीराँ विक्रमी सम्वत् 1595 से 1597 के बीच वृन्दावन में रही थी। तत्पश्चात् वे द्वारिका चली गई। अतः लगभग दो वर्ष की अवधि में मीराँ जैसी साँवरिया 'गिरधर नागर' में लीन रहने वाली महिला के लिए स्वयं की मातृभाषा को छोड़ ब्रज में पद—रचना करना सम्भव नहीं है। यह हो सकता है कि ब्रज की शब्दावली कहीं-कहीं मीराँ के मूल पदों के साथ जुड़ गई हो, जो प्रायः गेय परम्परा में सम्भव भी है। कालान्तर

में मीराँ के लोकप्रिय पदों को ब्रज प्रदेश के लिपिकर्त्ताओं ने ब्रज भाषा के रंग में रंग दिया। ऐसा गुजराती भाषा में भी हुआ है।

मीराँ के मूल पद पूर्णतया ब्रज में नहीं हो सकते। अतः डॉ. सी.एल. प्रभात का यह उल्लेख भ्रामक है कि "प्रो नरोत्तमदास स्वामी जैसे विद्वान ने अपनी पुस्तक 'मीराँ मन्दाकिनी' की मूल प्रति में प्रयुक्त ब्रजभाषा रूपों को सुधारकर राजस्थानी कर दिया है।[17] मीराँ के मूल पद राजस्थानी भाषा में ही हैं। अतः विभिन्न भाषाओं, बोलियों, उपबोलियों में प्राप्त मीराँ के पदों का राजस्थानीकरण करना मीराँ के प्रामाणिक पदों के अनुसन्धान के लिए आवश्यक है क्योंकि मीराँ के मूलपद राजस्थानी भाषा में ही थे लिपिकर्त्ताओं के कारण उनका भाषाई परिवर्तन हुआ था। द्वारिका में मीराँ अनेक वर्ष अर्थात् विक्रमी सम्वत् 1597 से विक्रम सम्वत् 1604 तक रही। उस समय तक "मरु–गुजरी भाषा" का प्रभाव विद्यमान था। जब मीराँ द्वारिका पहुँची तब सुप्रसिद्ध वैष्णव भक्त नरसी मेहता वहाँ थे और उनसे मीराँ का सत्संग हुआ था। अतः यह सम्भव है कि इतने वर्षों के प्रवास और नरसी मेहता के सत्संग से मीराँ के पदों पर गुजराती भाषा का प्रभाव पड़ा हो। मीराँ के पदों पर ब्रजभाषा की तुलना में गुजराती भाषा का प्रभाव अधिक सम्भव है।[18]

मीराँ की भक्ति साधना के आधार पर—मीराँबाई मूल रूप में सगुण वैष्णव भक्त थी।[19] उन्होंने विष्णु के द्वितीय अवतार श्री कृष्ण के "गिरधर नागर" स्वरूप को "भवभव रा भरतार" मानकर माधुर्य भाव से उपासना की। अतः मीराँबाई की इसी भक्ति साधना की अभिव्यक्ति वाले पद प्रामाणिक कहे जा सकते हैं। मीराँ की पदावली में निर्गुणी शब्दावली "सन्तसमागम" के कारण सम्भव है, किन्तु उस शब्दावली में मीराँ की सगुण भक्ति का ही भाव है। मीराँ अपने प्रभु की सगुण उपासिका है, कबीर, रैदास की तरह निर्गुणी सन्त नहीं है। अतः मीराँ के प्रामाणिक पदों के अनुसन्धान में मीराँ की भक्ति साधना को दृष्टि में रखकर ही विचार करना होगा। जिन पदों में कृष्ण के सगुणरूप, नवधा भक्ति, पुनर्जन्म, कर्म सिद्धान्त, पराभक्ति का निष्काम स्वरूप, गोपी भाव तथा प्रेमाभक्ति का प्राधान्य है, उन्हें मीराँ के प्रामाणिक पद माना जाएगा, शेष को नहीं।

मीराँ के जिन पदों में विषय त्याग, भगवद् गुण—श्रवण कीर्तन, भगवतकृपा और अवतारलीला, प्रभु स्मरण, चिन्तन, मनन, प्रभु का हरि अविनाशी स्वरूप, मुरली, ब्रह्मलोक, जीवन के प्रति अनास्था, प्रभु का सौन्दर्य वर्णन एवं गान आदि का चित्रण अधिक है, वे मीराँ के प्रामाणिक पद कहे जा सकते हैं।

युगीन परिवेश के आधार पर—मीराँ के पदों की प्रामाणिकता के अनुसन्धान में मीराँ युग के परिवेश का भी महत्त्व है, क्योंकि वह परिवेश, प्रत्यक्ष अथवा परोक्ष रूप में उन पदों में अभिव्यक्त अवश्य हुआ है। उस युग का राजनैतिक, सामाजिक, आर्थिक, धार्मिक एवं सांस्कृतिक वातावरण मीराँ के जिन

पदों में अभिव्यक्त हुआ है वे प्रामाणिकता के अधिक समीप हैं। मीराँ युग का रहन-सहन, आस्था, विश्वास, आवागमन के साधन, विविध कलाएँ एवं प्रथाएँ आदि युगीन प्रसंगों से युक्त राजस्थानी समाज के उल्लेख जिन पदों में विद्यमान हैं उन्हें मीराँ के प्रामाणिक पद माना गया है।

मीराँ युग का राजनैतिक वातावरण राजाओं, रावों, महाराणाओं एवं सामन्तों से प्रभावित था। उस युग में परस्पर द्वैष, कलह और युद्धों का वातावरण था। वंश, जाति तथा शौर्य के आधार पर व्यक्ति का सम्मान था। आर्थिक रूप से तीन वर्ग थे सम्पन्न, मध्यम तथा गरीब। राजपरिवार के प्रति समाज में सम्मान तथा आदरभाव विद्यमान था। मीराँ के प्रति जनाकर्षण का एक कारण यह भी था कि वे तत्कालीन राजस्थान के कई प्रसिद्ध राजपरिवारों से सम्बन्धित थी। उस समय मेड़ता स्वतन्त्र राज्य था और वहाँ के शासकों को राव की पदवी थी। तत्कालीन मारवाड़ के शासक और जोधपुर के संस्थापक राव जोधा के पुत्र वरसी तथा दूदा ने स्वतन्त्र मेड़ता राज्य की स्थापना, विक्रमी सम्वत् 1518-19 में की थी जिनके राव वीरमदेव तथा राव जयमल जैसे जगत् विख्यात उत्तराधिकारी हुए। मीराँबाई राव दूदा के चतुर्थ पुत्र रतनसी (रतनसिंह) की कन्या थी। इस तरह वे जोधपुर के संस्थापक राव जोधा की प्रपौत्री, मेड़ता के राव दूदा की पौत्री, राव वीरमदेव के भाई की पुत्री तथा राव जयमल की बुआ थी।

मीराँबाई का विवाह मेवाड़ के सिशोदिया शासक महाराणा सांगा के ज्येष्ठ पुत्र भोजराज से हुआ था। वे मेवाड़ की वधु थी। उस युग में राजकन्या तथा राजराणी का समाज में बहुत आदर था। अतः जब मीराँ अनन्य भक्तिभाव के साथ राज परिवार की मर्यादाओं और व्यवस्थाओं को "तिनके ज्यूं तोड़"—जन साधारण के बीच आ उपस्थित हुई, तो जन-जन का स्नेह उन्हें प्राप्त हो गया। मेवाड़ी राज परिवार ने इसका विरोध भी किया किन्तु मीराँ उससे विचलित नहीं हुई। मीराँ के जीवन की यह संघर्ष कथा उसके प्रामाणिक पदों में किसी न किसी रूप में अभिव्यक्त हुई है। ऐसे पदों को सावधानीपूर्वक अलग किया गया है तथा प्रामाणिक माना गया है।

धार्मिक एवं सांस्कृतिक आधार पर—मीराँ युग की धार्मिक स्थिति भी विभिन्न आचार्यों और उनके सम्प्रदायों में उलझकर कर्मकाण्डी बन गई थी। प्रत्येक सम्प्रदाय अपने गुरु और पन्थ के प्रसार में लगा था। मीराँ जैसी भक्त से इन सम्प्रदायों को राज्याश्रय तथा लोकप्रसिद्धि दोनों मिल सकती थीं। अतः उस युग के प्रायः समस्त सम्प्रदायों के आचार्यो एवं शिष्यों ने मीराँबाई को अपने पन्थ में दीक्षित करने का पूर्ण प्रयास किया। उस युग में राजस्थान में लोकदेवी-देवताओं तथा साधु-सन्तों का प्रभाव लोकजीवन में व्याप्त था।

उस समय बिश्नोई सम्प्रदाय के संस्थापक जाम्भोजी पंवार प्रायः मेड़ता आते

रहते थे। लोकदेवी करणीजी रंक से राव तक सम्मान प्राप्त कर चुकी थी। जीणमाता लोक देवी के रूप में प्रतिष्ठित हो चुकी थी। लोकदेवताओं के रूप में पाबूजी राठौड, देवजी बगड़ावत गोगाजी चौहान, रामदेवजी तंवर, हड़बूजी सांखला, मेहाजी, मल्लिनाथजी, तेजाजी आदि समाज में पूज्यनीय माने जाते थे।

निर्गुणी दादू पन्थ नाथ पन्थ, रामस्नेही निरंजनी जसनाथी, लालदासी, चरणदासी आदि सम्प्रदाय लोक में प्रसिद्ध अर्जित करने लगे थे। रामानन्द, कबीर, नामदेव, रैदास, गुरुनानक, ज्ञानदेव आदि सन्तवाणी लोकप्रचलित हो चुकी थी।

अतः मीराँ पदावली में सन्त शब्दावली तथा दर्शन एवं चिन्तन का प्राप्त होना अस्वाभाविक न होकर युगीन प्रभाव ही है।

सगुण भक्त सम्प्रदायों के रूप में निम्बार्क, बल्लभ, निष्कलंक आदि का प्रभाव जनसमाज में बढ़ने लगा था।

जब मीराँ ने किसी पन्थ की संकीर्णता स्वीकार नहीं की तब उन्हें वल्लभ सम्प्रदाय से अपमानजनक शब्द भी सुनने पड़े।[20] जिस उद्धार भक्तिभाव से मीराँ वृन्दावन गई थी, वहाँ का धार्मिक वातावरण देखकर उन्हें ठेस लगी। यही कारण है कि वे अधिक दिन वृंदावन में नहीं रह सकी और द्वारिका चली गई।

अपने साँवरिया की लीला भूमि वृन्दावन के दर्शन कर वे धन्य हो गई। प्रभु के निजधाम वृन्दावन के शब्द–चित्रों से युक्त मीराँ के पद प्रामाणिकता के अधिक समीप हैं। किन्तु बद्रीनारायण, डाकोर, काशी आदि अन्य धार्मिक स्थलों से सम्बन्धित पद मीराँ के प्रामाणिक पद नहीं कहे जा सकते।

पुष्कर मेड़ता के समीप हैं। मीराँ युग में चितौड़ जाते और आते समय पुष्कर मार्ग में आता था। धार्मिक दृष्टि से पुष्कर तीर्थराज है। अतः मीराँ अनेक बार पुष्कर गई थी। जिन पदों में पुष्कर, वृन्दावन, द्वारिका का महिमागान मीराँ के पदों में किया गया है वे समस्त पद प्रामाणिक हैं।

विभिन्न सम्प्रदायों की हस्तलिखित प्रतियों के आधार पर–मीराँबाई के अनेक पद विभिन्न धार्मिक सगुण तथा निर्गुण सम्प्रदायों द्वारा लिपिबद्ध हस्तलिखित प्रतियों में उपलब्ध होते हैं। एक विशिष्ट सम्प्रदाय की प्रतियों से अन्य सम्प्रदाय में प्राप्त पदों में भिन्नता दिखाई देती है। उस सम्प्रदाय विशेष के भक्तिदर्शन, आचार्य, साधना–पद्धति तथा साम्प्रदायिक भावना की अनुकूलता के आधार पर, हस्तलिखित प्रतियाँ में प्रक्षिप्त अंशों को जोड़ा अथवा घटाया गया है। ऐसा अनुसन्धान परक अध्ययन से ज्ञात हुआ।

डॉ. सी.एल. प्रभात की मान्यता है कि "रामस्नेही सम्प्रदाय" के गुटकों में मीराँ के "गिरधर" अनेक स्थानों पर "राम" और "रमैया" बन गए हैं। वारकरी सम्प्रदाय की प्रतियों में विठल का विशेष प्रयोग है। वैष्णव मत के पदों में निर्गुव भावना का आभास दिलाने वाले पद कम-से-कम हैं और सन्तों द्वारा लिखित

पदों में 'प्रेम की नाव' "ज्ञान की नाव" बन गई, "प्रीतम" "सद्गुरु" हो गए हैं। शैव सम्प्रदाय में "मीराँ के प्रभु गिरधरनागर" छाप के पदों में टेक के रूप में "भोलानाथ दिगम्बर हे दुःख मारा टारो रे" जैसी पंक्तियाँ जोड़ दी गई हैं। मीराँ के गुरु रूप में रैदास और गौरांग् महाप्रभु का उल्लेख करने वाले प्रक्षिप्त पदों की परम्पराएँ भी साम्प्रदायिक भावजनक हैं।

लोकमान्यताओं के आधार पर—भक्तों और सन्तों के काव्य को प्रामाणिक सिद्ध करने में लोक मान्यताओं का भी विशेष महत्त्व होता है। यद्यपि इन्हें पूर्ण प्रामाणिक नहीं माना जा सकता किन्तु इन लोक—मान्यताओं के पीछे जो लोक सत्य का अंश छिपा रहता है उससे हम प्रामाणिक पदों तक पहुँच सकते हैं। मीराँ अपने युग की सर्वाधिक लोकप्रिय भक्त रही है। यही कारण है कि उनके सम्बन्ध में लोकमान्यताएँ एवं किंवदन्तियाँ भी अधिक हैं। मैंने मीराँ की प्रमाणिक पदावली प्रस्तुत करते समय लोकवाङ्मय में से मीराँ पदावली का वह स्वरूप भी प्राप्त किया है जो मूल के अधिक समीप है।

पाठालोचल पद्धति के आधार पर :—मीराँ की प्रामाणिक पदावली के लिए पाठालोचन पद्धति उपयोगी है। अतः पाठालोचन अथवा पाठसम्पादन के सर्वमान्य सिद्धान्तों के आधार पर मीराँ के पदों का प्रामाणिक पाठ तैयार करने का प्रयास किया गया है। पाठालोचन पद्धति के अनुसार अनुसन्धानपरक अध्ययन केवल लिखित पदों का ही सम्भव है। अतः मीराँ के पदों से युक्त हस्तलिखित ग्रन्थों से प्राप्त संक्षिप्त पाठ ही रचनाकार के मूल पाठ के अधिक समीप माना जाएगा। यद्यपि पाठालोचन पद्धति का प्रमुख उद्देश्य रचनाकार के मूल पाठ तक पहुँचना है किन्तु इस पद्धति से प्रामाणिक पाठ की समस्या का निदान भी हो सकता है।

विभिन्न स्थानों, लिपिकर्त्ताओं तथा समयावधि के हस्तलिखित ग्रन्थों में प्राप्त प्राचीनतम पाठ का अधिक महत्त्व होता है। अतः प्राचीनतम् अथवा संक्षिप्तम् पाठ को आधार पाठ मानकर प्रामाणिक पाठ का अनुसन्धान किया गया है। यद्यपि यह भी सत्य है कि प्रत्येक विषय, कवि अथवा काव्यकृति (हस्तलिखित प्रतियों सहित) के मूलपाठ तक पहुँचने के लिए अध्ययनकर्त्ता को अन्ततः अपनी बुद्धि एवं विवेक से ही कार्य करना होता है क्योंकि प्रत्येक ग्रन्थ की पाठ समस्या भिन्न-भिन्न होती है किन्तु पाठालोचन के कुछ सामान्य सिद्धान्त हैं जिन्हें समस्त हस्तलिखित ग्रन्थों के पाठ-सम्पादन में प्रयुक्त किया जा सकता है। अतः मैंने उन सामान्य सिद्धान्तों के अनुसार मीराँ के पाठ का चयन किया है।

प्रसिद्ध विद्धान हॉल के अनुसार पाठ चयन का सामान्य सिद्धान्त यह है कि सभी प्रतियों में समान रूप से प्राप्त होने वाला पाठ किसी समान उद्‌गम की ओर संकेत करता है। सम्भव है वह समान उद्‌गम रचियता का स्वहस्त लेख ही हो।

उपर्युक्त सिद्धान्त के अनुसार समस्त हस्तप्रतियों में प्राप्त होने वाले मीराँ

के पदों के समान पाठ को अपनाया गया तथा अनुपलब्ध प्रतियों के पाठों का अनुमान भी किया गया है।

पाठालोचन का सर्वमान्य सिद्धान्त है कि कोई भी प्रतिलिपि मूल रचना से जितनी दूर होगी, उसमें अशुद्धियाँ भी उतनी ही अधिक होंगी। अतः मीराँ के पदों के स्वअल्प अशुद्धियों वाले पाठ को आधार बनाया गया है। इस तरह मैंने प्राप्त पाठ से अप्राप्त पाठ की ओर बढ़कर मीराँ की प्रामाणिक पदावली की समस्या का समाधान ढूँढ़ने का प्रयास किया है। ऐसा करते समय मीराँबाई की भाषा, शैली, ताल, लय, गति, लोकवाद्य तथा विचारधारा को महत्त्व दिया गया है। ऐसा करके प्रक्षिप्त अंशों तथा अनावश्यक पुनरावृत्ति का निराकरण किया गया है।

पाठालोचन का प्रमुख सिद्धान्त है कि प्राप्त अनेक हस्तलिखित प्रतियों में से किसी एक को आदर्श प्रति के रूप में स्वीकार कर कवि के पाठ तक पहुँचने का प्रयास किया जाता है। पाठालोचन के इस सिद्धान्त को भी दृष्टि में रखा गया है।

निष्कर्ष :—मेरी मान्यतानुसार उपर्युक्त समस्त आधार बिन्दुओं से प्राप्त होने वाले मीराँ के प्रामाणिक पदों की संख्या 300 से अधिक नहीं हो सकती। ये पद राग-रागिनियों से युक्त हैं।

प्रकाशित ग्रन्थ मीराँ पद संग्रह सूची

1.	संगीत राग कल्पद्रुम (मीरा के 40 पद)	कृष्णानन्द व्यासदेव रामसागर	1842
2.	बृहत काव्य दोहन (दस भाग)	इच्छाराम सूर्यराम देसाई	1887-1911के बीच
3.	मीराँबाई के भजन (मीराँ छाप के 20 पद)	ईश्वर प्रसाद रामचन्द्र	1897
4.	मीराँबाई ऑफ उदयपुर	उपेन्द्र नाथ मुखोपाध्याय	1901
5.	(क) महिला मृदुवानी	मुन्शी देवी प्रसाद	
	(ख) श्रीमती मीराँबाई का जीवन चरित्र	मुन्शी देवी प्रसाद	वि.सं. 1955
6.	श्री भक्त शिरोमणि मीराँबाई के भजन	श्री विश्वेश्वर प्रेस, बनारस	1905
7.	मीराँबाई के भजन	नवलकिशोर प्रेस, बनारस	1906
8.	गाथा पंचक (मीराँ के 156 पद)	त्र्यम्बक हरी आप्टे	1908
9.	मीराँ की शब्दावली (मीराँ के 38 पद)	वेलवेडियर प्रेस, बनारस	1909
10.	सन्तवाणी संग्रह (मीरा के 20 पद)	वेलवेडियर प्रेस, बनारस	1915
11.	मीराँबाई भजन—भाण्डार अथवा मीराँबाई रत्न संग्रह (मीराँ के 352 पद)	गोविराव मोरावा कार्लेकर	1922

12.	प्राचीन काव्य सुधा (पाँच) (मीराँ के 33 पद)	छगनलाल विद्याराम रावल	1923
13.	सिलेक्शन फ्राँम क्लासीकल गुजराती लिटरेचर (मीराँबाई के 106 पद)	ह.ज.ज. तारापोरवाला	1925
14.	मीराँबाई, सहजोबाई, दयाबाई का पद संग्रह (मीराँ के 36 पद)	वियोगी हरि	
15.	मीराँ मन्दाकिनी (161 पद)	नरोत्तम दास स्वामी	1930
16.	भजन संग्रह (तीसरा भाग) (मीराँ के 62 पद)	वियोगी हरि	1931
17.	मीराँ पदावली (120 पद) (1959 तक सात संस्करण प्रकाशित)	परशुराम चतुर्वेदी	1932
18.	मीराँ का काव्य (139 पद)	मुरलीधर श्रीवास्तव	1934
19.	मीराँ की प्रेम साधना, (ख) (मीराँ की प्रेम साधना, द्वितीय संस्करण) (216)	भुवनेश्वरनाथ माधव	
20.	मीराँ पदावली (201 पद)	श्रीमती विष्णु कुमारी	1938
21.	मीराँबाई (256 पद)	सत्संग मण्डल नरनारायण मन्दर, बम्बई	1938
22.	मीराँ जीवनी और काव्य (108 पद)	डॉ. महावीरसिंह गहलोत	
23.	मीराँ-माधुरी	ब्रजरत्न दास (प्रथम संस्करण द्वितीय संस्करण)	
24.	मीराँस्मृतिग्रन्थ (103 पद)	ललितप्रसाद सुकुल, बंगीय हिन्दी परिषद्, कलकत्ता	
25.	मीराँ बृहद पद संग्रह (590 पद)	श्रीमती पद्मावती शबनम	1952
26.	मीराँबाई ना भजनो	हरिसिद्ध भाई जभाई दिवेरिया	
27.	मीराँ दर्शन (103पद)	मुरलीधर श्रीवास्तव	1956
28.	मीराँ सुधा सिन्धु (1312 पद)	स्वामी आनन्दस्वरूप	1957
29.	मीराँबाई (48 पद)	व्योमकेश भटाचार्य	1958
30.	मीराँबाईः एक मनन (480 भजन)	डॉ. मन्जुलाल र, मजुमदार	1961
31.	भक्त मीराँ (184 पद)	बाँकेबिहारी भटनागर	1961
32.	मीराँ पदावली (150 पद)	चुन्नी लाल शेष	1966
33.	मीराँ बृहत्पदावली (भाग प्रथम)	हरिनारायण पुरोहित	1968
34.	मीराँबाई का जीवनवृत्त एवं काव्य (214 पद)	डॉ. कल्याणसिंह शेखावत	1972
35.	मीराँ बृहत्पदावली (द्वितीय भाग)	डॉ. कल्याणसिंह शेखावत	1975

सन्दर्भ

1. मीराँ मन्दाकिनी
2. मीराँ–स्मृति–ग्रन्थ
3. मीराँ दर्शन
4. (क) मीराँ सुधा सिन्धु (ख) मीरा सुधा लहरी
5. मीराँबाई: एक मनन
6. मीराँबाई की पदावली
7. मीराँ बृहत्पदावली (भाग प्रथम)
8. भक्त मीराँ
9. अनुसन्धानपरक आलेख
10. विविध निबन्ध
11. मीराँ दर्शन
12. मीराँ की जीवनी एवं काव्य
13. जयमल वंश प्रकाश
14. "मीराँ" के पदों की कोई प्रति ऐसी उपलब्ध नहीं है जो मीराँ ने स्वयं लिखी है या जिसे उन्होंने शुद्ध किया हो। उनके काल की कोई भी प्रति प्राप्त नहीं है। मीराँ के जीवन का अन्त द्वारिका में हुआ। अतः इतना निश्चित है कि मीराँ के समस्त पदों का संग्रह उनकी मृत्यु के समय द्वारिका में रहा होगा। अन्य स्थानों में भक्तों, सन्तों अथवा श्रद्धावान गृहस्थों के घरों में लिखित रूप से अथवा उनकी स्मृतियों में जो पद संग्रह रहे होंगे, उनमें से किसी के भी पूर्ण होने की सम्भावना नहीं है क्योंकि मीराँ जीवन के अन्त तक गिरधर के सामने नाचती गाती और नए पद बनाकर अपने माधुर्य–भाव को व्यक्त करती रही थी।
15. गुजराती प्रदेश में अनेक ब्रजभाषा के पद बलात् गुजराती भाषा के बना दिए हैं। प्राचीन काव्य दोहन और वृहद् काव्य दोहन में ऐसे अनेक पद गुजराती में मिलते हैं, जिनमें ब्रजरूपों के गुजरातीकरण की प्रवृति अव्यक्त नहीं रह पाती। मीराँ के प्रभु गिरधरनागर ना गुण बन गए। महाराष्ट्र में लिपिबद्ध धूलिया के "रामदासी संशोधन" की प्रतियों में मीराँ से 'म्हाका' कांकणी शब्द का प्रयोग करवा दिया, मीराँ स्वयं सब जगह मिराँ हो गई। मीराँ के पदों में पंजाबी और भोजपुरी के प्रयोग बहुत-कुछ इसी प्रवाति का परिणाम है। डॉ. सी.एल. प्रभात, मीराँबाई, पृ. 294
16. वही
17. मीराँबाई एक सुसंस्कृत कुलीन महिला थी। अतः उसकी भाषा भी शिष्ट शब्दावली से पूर्ण होगी। अतः निम्नवर्ग में प्रचलित शब्दावली के पद मीराँ के प्रामाणिक पद नहीं माने जा सकते।

18-19. पुराणों में इस नवधा भक्ति को निम्नानुसार कहा गया है–

श्रवणं कीर्तनं विष्णों, स्मरणं पादसेवनम्।
बंदनं अचनं दास्यं सख्यं आत्मनिवेदम्॥

20. मीराँबाई पृ. 283

मीराँ पदावली

(1)

अखियाँ तरसे दरसण प्यासी।
मग जोताँ दिन बीते सजनी, रेण दुःख रासी।
डाली बैठी कोयल बोली, बोलसुण्या उदासी।
कड़वा बोल लोक जग बोल्या, करसी म्हारी हाँसी।
मीराँ हरि रे हाथ बिकाणी, जनम जनम री दासी॥

(2)

अब निभायाँ सरसी, बाँह गह्या री लाज।
असरण सरण कर्‌या गिरधारी, पतित उबारण काज।
भव सागर मझधर आधाराँ, आप बिन घणो अकाज।
जुग जुग भीर हरि भगताँ री, दीन्यो मोक्ष निवाज।
मीराँ सरण पड़ी चरणाँ री, लाज राखो महाराज॥

(3)

म्हें सुरणी हरी आवा री, आवा री मन भावा री।
हरि न आवे गैल बतावे, बाण पड़ी ललचावा री।
नेणा म्हारो कह्यो न माने, नीर झरे निस वासर री।
काँई करूँ ना बस म्हारो, ना पंखी म्हारे उड़ावा री।
मीराँ रा प्रभु गिरधर नागर, बाट जोवाँ रावरे आवा री॥

(4)

आली म्हाने लागे वृन्दावन नीको।
घर-घर तुळसी ठाकुर पूजा, दरसण गोविन्दजी को।
निरमळ नीर बेवे जमना रो, भोजन दूध दही को।
रतन सिंघासन आप विराज्या, मुगट धर्यो तुळसी को।
कुंज कुंज फिरुँ साँवरा, सबद सुणूँ मुरली को।
मीराँ रा प्रभु गिरधर नागर, भजन बिना नर फीको॥

(5)

आली री म्हारे नैणाँ बाण पड़ी।
चित चढ़ी म्हारी माधुरी मूरत, हिवड़े आन गड़ी।
कब री ठाढ़ी पंथ निहारुँ, खुद रे भवन खड़ी।
अटक्यो प्राण साँवरा प्यारा, जीवन मूळ जड़ी।
मीराँ गिरधर हाथ बिकाणी, लोक कहे बिगड़ी॥

(6)

आवो मोहनाजी जोवाँ राज री बाट।
खांन पांन म्हाने नेक न भावे, नेणाँ खुल्या कपाट।
आप आयाँ बिन सुख ना म्हारे, हिवड़े घणी उचाट।
मीराँ आप बिन भई बावरी, छाडो ना निराट॥

(7)

कमल दळ लोचना, आप नाथ्यो काळो भुजंग।
कालिन्द दह नाग नाथ्यो, फण फण नरत करत।
कूद्या जळ माँही ना डरिया, आप एक बाहु अनंत।
मीराँ रा प्रभु गिरधर नागर, ब्रज बनिता रा कंत ॥

(8)

काँई म्हारो जनम बारम्बार।
पुरबला काँई पुन्न खूट्याँ, पल पल जात न लागे बार।
बढ़्या छिण छिण, घट्या पल पल जात न लागे बार।
बिरछ रा ज्यूँ पात टूट्याँ, लाग्या ना फैरुँ डार।
भो समन्द अपार देख्यो, अगम ओखी धार।
दासी मीराँ लाल गिरधर, बेग करज्यो पार॥

(9)

करम गत टारी नाँही टरे।
सतवादी हरीचन्द राजा, डूग घर नीर भरे।
पाँच पाँडु री राणी द्रुपदा, हाड़ हिमाळे गरे।
जिग किया बळी लेण इन्द्रासण, जाय पताळ परे।
मीराँ रा प्रभु गिरधर नागर, विष इमरित करे॥

(10)

कोई चावै ज्यूँ केवे, मन लागो।
इसी प्रीत लागी मनमोहन सूँ, ज्यूँ सोना में सुहागो।
जनम जनम रो सोयो मनुवो, सतगुरु सबद सुण जागो।
मात पिता सुत कुटुम कबीलो, हट्या ज्यूं धागो।
मीराँ रा प्रभु गिरधर नागर, भाग म्हारो जागो॥

(11)

गळी तो चारुँ बन्द हुई, म्हें हरि सूँ किण विध मिलूँ जाय।
ऊँची नीची राह रपटीली, पाँव नहीं ठहराय।
सोच सोच पग धरुँ जतन सूं, बार बार डिग जाय।
ऊँचा नीचा महल पिया रा म्हासूं सूं चढ्यो ना जाय।
पिया दूर पंथ म्हारो झींणो, सूरत झकोळा खाय।
मीराँ रा प्रभु गिरधर नागर सतगुरु दियो बताय॥

(12)

गिरधारी सरणाँ रावळी आई, राखो किरपा निधान।
अजामल अपराध तार्‌या, तार्‌या नीच सदान।
डूबतो गजराज राख्यो, गणिका चढ़ी विमान।
और अधम हुताँ सै तार्‌या, भाखे संत सुजान।
भीलणी कुबजा तारी, गिरधर! जाणे सकल जहान।
विरद बखाणूँ गिणती नाँ जाणूँ, थाका वेद पुराण।
मीराँ रा प्रभु! सरण रावरी, विनती दीज्यो कान॥

(13)

घड़ी चैन न आवड़े, आप दरसण बिन मोय।
धान न भावे नींद न आवे, विरह सतावे मोय।
घायल ज्यूँ घूमत फिरुँ, म्हारो दरद न जाणे कोय।
प्राण गुमाया झूरताँ रे, नेण गुमाया रोय।
पथं निहारुँ डगर बुहारुँ, ऊभी मारग जोय।
मीराँ रा प्रभु कब रे मिलोला, आप मिलियाँ सुख होय॥

(14)

चरण रज महिमा म्हें जाणी।
जिण चरणाँ सूं गंगा परगटी, भागीरथ कुळ ओतारी।
जिण चरणाँ सूं विप्र सुदामा, हरि कँचन धाम करी।
जिण चरणाँ सूं अहिल्या उधारी, गौतम री पटराणी।
मीराँ रा प्रभु गिरधर नागर, चरण कमळ लिपटाणी॥

(15)

चालो अगम वा देस, काळ देख्याँ डरे।
भर्‌या प्रेम रा होज, हंरा केल्या करे।
साध सतं रो संग, ज्ञान जुगता करां।
धराँ साँवरा ध्यान, चित्त उजळो करां।

साजाँ सीळ सिंगार सोना री राखड़ी।
साँवळिया सूं प्रीत और सूं आखड़ी॥

(16)

चालो मनवा जमना ते तीर।
वा जमना रो निरमळ पाणी, सीतळ होय सरीर।
बँसी बजावे गावे कान्हो, संग लियाँ बलवीर।
मोर मुगट पीताम्बर सोवे, कुण्डळ झलके हीर।
मीराँ रा प्रभु गिरधर नागर, चरण कमळ में सीर॥

(17)

छोड़ मत जाज्यो जी महाराज।
म्हां अबळा बळ नाही गिरधर, आप म्हारा सिरताज।
म्हां गुणहीन गुणसागर नागर, म्हारे हिवड़ा रो साज।
जग तारण, भो भीत निवारण, आप राख्यो गजराज।
हारयाँ जीवण सरण रावळी, कठे जावाँ ब्रजराज।
मीराँ रा प्रभु और न कोई, राखो अब तो लाज॥

(18)

जग में जीवणा थोड़ा कुण लिया भवभार।
मात पिता जन जनम दियो री, करम दिया करतार।
खायाँ खरच्याँ जीवण जावे, काँई करया उपकार।
साधा संगत हरि गुण गास्याँ, और न म्हारी लार।
मीराँ रा प्रभु गिरधर नागर, आप बळ उतरी पार॥

(19)

जाणाँ रे मोहन! जाणाँ रावळी प्रीत।
प्रेम भगती रो पैंडो न्यारी, म्हे ना जाणाँ रीत।
इमरत पाय विष क्यूँ दीज्ये, किण गाँव री रीत।
मीराँ रा प्रभु हरि अविनासी, अपणा जन रो मीत॥

(20)

जाण्यो ना प्रभु मिलण किण विध होय।
आया प्रभु म्हारे आँगणे, फिर गया जाण्याँ नाय।
जोवता मग रैण बीती, दिवस बीत्या जोय।
हरि पधार्‍या आँगणे, मैं गई अभागण सोय।
विरह व्याकुल अनल माँही, कळ ना पड़ै रोय।
दासी मीराँ लाल गिरधर, मिल ना बिछड़ो कोय॥

(21)

जोगी मत जा मत जा पाँव पडूँ मैं चेरी रावरी हो।
प्रेम भगती रो पेंड़ो ही न्यारो, म्हानै गैल बता जा।
अगर चन्दण री चिता बणाऊँ, अपणे हाथ जळा जा।
जळ बळ होय भसम री ढेरी, अपणे अंग लगा जा।
मीराँ रा प्रभु गिरधर नागर, जोत में जोत मिला जा॥

(22)

जोगिया सूं प्रीत कियां दुःख होई।
प्रीत कियाँ सुख ना मोरी सजनी जोगी मीत न कोई।
रात दिवस कळ ना पड़े, आप मिलियाँ बिन मोई।
इसी सुरत इण जग माँहि, फेरुँ न देखी सोई।
मीराँ रा प्रभु कद रे मिलोला, मिलियाँ आणंद होई ॥

(23)

जोसीड़ा ने लाख बधाई रे, आसी म्हारा स्याम।
म्हारे आणंद उमंग भयो री, जीव लह्या सुख धाम।
पंच सख्याँ मिळ पीव रिझावाँ, आणंद ठावे ठाम।
बिसर जावाँ दुःख निरख पियारी, सूरत सुफळ मनोरथ काम।
मीराँ रा सुख सागर स्वामी, भुवन पधार्‍या स्याम॥

(24)

तनक हरि चितवो म्हारी ओर।
म्हे चितवाँ आप चितवो नाँही, हिवड़ो बड़ो कठोर।
म्हारी आसा चितवन रावरी, और न दूजो दोर।
ऊभी ठाड़ी अरज करुँ छूँ, करताँ करताँ भोर।
मीराँ रा प्रभु हरि अविनासी, देस्यूँ प्राण झकोर॥

(25)

आपने काँई काँई बोल सुणावाँ, म्हारा गिरधारी।
पूरब जनम री प्रीत पुराणी, जावे ना निरवारी।
सुन्दर बदन जोवताँ साजन, रावळी छबि बळिहारी।
म्हारे आँगण स्याम पधारो, मंगळ गावे नारी।
मोती चौक पुरावाँ, नेणां मन डारां वारी।
चरण सरण री दासी मीराँ जनम जनम री कंवारी॥

(26)

आप बिन म्हारी कुण खबर लेवे, गोवरधन गिरधारी।
मोर मुगट पीताम्बर सोभा, कुण्डळ री छिब न्यारी।
भरी सभा में द्रुपद सुता री, राखी लाज मुरारी।
मीराँ रा प्रभु गिरधर नागर, चरण कँवळ बलिहारी॥

(27)

रावरो रूप देख अटकी।
कुळ कटुम्ब सजन सकळ बार बार अटकी।
बिसरी ना लगन लागी मोर मुगट नटकी।
म्हारो मन मगन स्याम सूं, लोग केवे भटकी।
मीराँ प्रभु सरण गही, जाणै घट घट की॥

(28)

आप मत बरजो माई री, साधाँ दरसण जावाँ।
स्याम रूप हिरदे बसे, म्हारे और ना भावाँ।
से सोवे सुख नींदड़ी, म्हे रेण जगावाँ।
ग्यान बसे जग बावरा, ज्याने स्याम ना भावे।
म्हारे चौमासा री बावड़ी, ज्यांको नीर ना पीवाँ।
हरि निरझर इमरत झर्‌या, म्हारी प्यास बुझावाँ।
रुप सुरंगा साँवरा, मुख निरखण जावाँ।
मीराँ व्याकुळ विरहणी, अपणी कर ल्यावाँ॥

(29)

दरस बिन दूखण लागा नैण।
सवद सुणताँ हीयो काँपे, मीठा रावरा बेण।
विरह विथा किणसूँ केवूँ, बेठी करवत ऐण।
कल ना पड़े हरि मज जोताँ, भई छमासी रेण।
आप बिछिड्याँ कळपाँ, प्रभुजी म्हारो गयो सुख चेन।
मीराँ रा प्रभु! कद मिलोला दुःख मेटण सुख देण॥

(30)

देखो माई!हरि मन काठो किया।
आवण कह गया अजु ना आया, कर म्हांने कोल गया।
खान पान सुधबुध सब बिसारी, काँई म्हारो प्राण लिया।
रावळो कोल विरुद जग सारो, आप काँई बिसर गया।
मीराँ रा प्रभु गिरधर नागर आप बिन फाटे हिया॥

(31)

नातो साँवरा रो म्हांसूं तनक ना तोड्यो जाय।
पाना ज्यूं पीळी पड़ी री, लोग कहे पिंडवाय।
बाबल वेद बुलाया री, म्हारी बाँह दिखाय।
वेद मरम ना जाण्यो री, म्हारो हिवड़ो कटतो जाय।
मीराँ व्याकुल बिरहणी प्रभु, दरसण दीज्यो आय॥

(32)

नींदड़ली आवे ना सारी रात, किण बिध होय परभात।
चमक उठू सुपना लखि सजनी, सुध ना भूली जात।
तड़प तड़प जिवड़ो जावे, कद मिले दीनानाथ।
भई बावरी सुधबुध भूली, पीव जाणे म्हारी बात।
मीराँ पीड़ा सोई जाणे, मरण जीवण जिण हाथ॥

(33)

नैणा बणज बसावाँ री म्हारो साँवरां आयाँ।
नेणां म्हारे साँवरो बिराजै, डरती पलक ना लावाँ।
म्हारे हिरदे वस्या मुरारी, पल पल दरसण पावाँ।
स्याम मिलण सिंणगार सजावाँ सुख री सेज बिछावाँ।
मीराँ रा प्रभु गिरधर नागर बार बार बलि जावाँ॥

(34)

नैणा लोभी अटकाय सक्या ना फेरुँ आय।
रुंम रुंम नख सिख लख्या, ललक ललक अकुळाय।
म्हाँ ठाड़ी घर आपणे, मोहन निकळ्या आय।
बदन चन्द्र परगासता, मन्द मन्द मुसकाय।
सकळ कुटुम्बी बरजता, बोल्या बोल बणाय।
नैणा चंचळ अटक न माने, पर हाथ गया बिकाय।
भलो कहो कोई कहो बुरो री, से लेवाँ सीस चढ़ाय।
मीराँ रा प्रभु गिरधर नागर, दिन पल रह्यो ना जाय॥

(35)

पद घूँघरू बाँध मीराँ नाची रे।
लोग कहे मीराँ भई बावरी सास केवे कुळनासी रे।
विषरो प्यालो राणोजी भेज्यो, पीवत मीराँ हाँसी रे।
तन मन वाराँ हरि चरणां में, दरसण इमरित पास्याँ रे।
मीराँ रा प्रभु गिरधर नागर रावळी सरणाँ आस्याँ रे॥

(36)

पपैया म्हारो कद रो बैर चितार्‌यो।
म्हें सोऊँरी अपणा भवन में, पिउ पिउ करत पुकार्‌यो।
दाज्या ऊपर लूण लगावे, हिवड़े करवत सार्‌यो।
उड़ बैठयो विरछ री डाळी, बोले कण्ठ निसार्‌यो।
मीराँ रा प्रभु गिरधर नागर, हरि चरणाँ चित धार्‌यो॥

(37)

पायोजी म्हें तो स्याम रतन धन पायो।
बसतु अमोलक दी म्हारे सतगरु, किरपा कर अपणायो।
जनम जनम री पूंजी पाई, जग में सो खोवायो।
खरचे नहीं खूटे, कोई चोर न लूटे, दिन दिन बढ़त सवायो।
संत री नाव खेवटिया सतगरु, भव सागर तर आयो।
मीरां रा प्रभु गिरधर नागर, हरख हरख जरा गायो॥

(38)

पिया रावरे नाम लुभाणी जी।
नाम लेताँ तिरतां सुण्याँ, जग पाहन पाणी जी।
कीरत काँई ना किया घणा, करम कुमाणी जी।
गणिका कीर पठावताँ, बैकुण्ठ बसाणी जी।
अरध नाम कुन्जर लियो, दुःख अवध घटाणी जी।
गरुड़ छोड़ पग धाईया, पसु जूण मिटाणी जी।
अजामल अधम ऊभरे, जम त्रास नसाणी जी।
पूत नाम जस गाइयाँ, जग सारा जाणी जी।
सरणागत आप वर दिया, परतीत पिछाणी जी।
मीराँ दासी रावळी, अपणी कर जाणी जी॥

(39)

पिया म्हारे नैणा आगे रहीज्यो जी।
नेणाँ आगे रहीज्यो, म्हाने भूल मत जाज्यो जी।

भोसागर में डूबत जावाँ, स्याम वेग सुध लीज्यो जी।
राणांजी भेज्या विसरा प्याला, आप इमरत कर दीज्यो जी।
मीराँ रा प्रभु गिरधर नागर, मिल बिछुड़न मत कीज्यो जी॥

(40)

पिया बिन सूनो छै म्हारो देस।
इस्यो ना कोई पीव मिळावे, तन मन वाराँ असेस।
रावरे कारण बन-बन डोलूँ, लियाँ जोगण रो भेष।
बीत्या चोमासा, मासां बीत्या, पण्डर हुया म्हारा केस।
मीराँ रा प्रभु कदरे मिलोला, तज दियो नगर नरेस॥

(41)

म्हाँने दरसण दीज्यो आय, आप बिन रह्यो न जाय।
जळ बिन कँवळ चँद बिना रजनी आप बिन जीयो न जाय।
आकुळ व्याकुळ रैण बिहावाँ, बिरह कळेजो खाय।
दिवस न भूख, नींद ना रेणां मुख सूं कह्यो न जाय।
कुण सुणे किणसूं केवूं री, मिळ पिय तपण बुझाय।
क्यूँ तरसावो अन्तरजामी, आय मिलो दुःख जाय।
मीराँ दासी जनम जनम री, रावळो नेह लगाय॥

(42)

प्रभुजी आप कठे गया, नेहड़ो लगाय।
छोड्या म्हाँ विसवास संगाती, प्रीत री वाती जळाय।
बिरह समंद में छोड़ गया छो, नेह री नाव चलाय।
मीराँ रा प्रभु कबरे मिलोला, आप बिन रह्यो न जाय ॥

(43)

बरजी रे म्हें स्याम बिना न रेवां।
साध संगत हरि सुख पास्यूं, जग सूं दूर रयाँ।
जन धन म्हारो जावे, पिव जासी म्हारो सीस लियाँ।

मन म्हारो लाग्यो गिरधर सूं, जग रा बोल सहयाँ।
मीराँ रा प्रभु हरि अविनासी, रावळी सरण गह्याँ॥

(44)

बरसे री बदरिया सावण री, मन भावण री।
सावण में उमग्यो म्हारो मनड़ो, सुणी हरि आवण री।
उमड़ घुमड़ घण मेघा आया, दामण घन झर लावण री।
बूंदां बूंदां मेहा बरसे, सीतळ पवन सुहावण री।
मीराँ रा प्रभु गिरधर नागर, वेळा मंगळ गावण री॥

(45)

बड़े घर ताळी लागी रे, पुरबला पुन्न जागा रे।
कामदाराँ सूं काम ना म्हारे, जावाँ म्हाँ दरबारा री।
हेल्याँ मेल्याँ काम ना म्हारे, बेठ्या मिल सरदाराँ री।
भाग म्हारो जाग्यो रे, रतनाकर म्हारो सीरी री।
प्यालो इमरत छाडी रे, कुण पीवे कड़वो नीर री।
भगत जन सूं प्रभु परचा पावाँ, जावाँ जगत दूरा री।
मीराँ रा प्रभु गिरधर नागर, मनोरथ करसी पूरा री॥

(46)

बादल देख डरी स्याम बादळ देख डरी।
काळी पीळी घटा ऊमड़ी, बरसी चार घरी।
जित जोवाँ तित पाणी, प्यासी भूम हरि।
म्हारा पिया परदेसां बसंता, भीजूँ द्वार खड़ी।
मीराँ रा प्रभु हरि अविनासी, करस्याँ प्रीत खरी॥

(47)

बादल रे थे जल भर लाज्यो।
झर-झार बूँदा वरसे आली! कोयल सबद सुणज्यो।
गाजाँ बाजा पवन मधुरो अंबर बदराँ छाज्यो।

सेज सँवारी पीव घर आयाँ सखियाँ मंगळ गाज्यो।
मीराँ रा प्रभु हरि अविनासी, भाग मला जिण पायो॥

(48)

भज मन चरण कँवल अविनासी।
जेताई दीसे धरण गगन बिच तेताई उठ जासी।
कहा भयो तीरथ बरत करयाँ, कहा लियाँ करवत कासी।
इण देही रो गरब ना करणो, माटी में मिळ जासी।
यो सँसार चहर री बाजी, साँझ पड्याँ उठ जासी।
कहा भयो भगवाँ पहर्याँ, घर तज भयाँ संन्यासी।
जोगी होय जुगत ना जाणी उलट जनम फैर आसी।
अरज करूँ अबला कर जोड्याँ, स्याम रावरी दासी।
मीराँ रा प्रभु गिरधर नागर, काटो जमरी फाँसी॥

(49)

भुवन पति आप घर आज्यो जी।
विथा लगा तन जारे जीवण, तपतो बिरह बुझाज्यो जी।
रोवत रोवत डोलताँ सा रैण बितावे जी।
भूख गई निदरा गई, पापी जींव न जावे न जावे जी।
दुखियाँ ने सुखिया करो, म्हाने दरसण दीज्यो जी।
मीराँ व्याकुल बिरहणी, अब, विलंभ ना कीज्यो जी॥

(50)

मन रे परस हरि रा चरण।
सुभग सीतल कमल कोमल जगत ज्वाला हरण।
जिण चरण प्रहलाद परस्याँ, इन्द्र पदवी धरण।
जिण चरण ध्रुप अटल कीन्हो, अपणी अपणी सरण।
जिण चरण ब्रह्माण्ड भेट्यो नख सिखं सिरी भरण।
जिण चरण धर्यो गोवरधन, इदंर गरब हरण।
जिण चरण प्रभु परस लीनो, तरी गोतम धरण।
जिण चरण कालियों नाग नाथ्यो, गोप लीला करण।

दासी मीराँ लाल गिरधर, अगंम तारण तरण॥

(51)

राणाजी महे तो गोविन्द रा गुण गास्यां।
चरणाम्रत रो नेम म्हारे नित उठ दरसण जास्यां।
हरि मन्दिर में निरत करास्यौं घुंघरिया धमकास्याँ।
स्याम नाम रा जाज चलास्याँ भोसागर तर जास्याँ।
यो सँसार बीड़ रो काँटो, ज्याँ संगतनहीं जास्याँ।
मीराँ रा प्रभु गिरधर नागर निरख परख गुण गास्याँ।

(52)

माई म्हाने सुपना में परण्या दीनानाथ।
छपन कोटी जणा पधार्‌या दूल्हो श्री ब्रजनाथ।
सुपना में तोरण बाँध्या री सुपना में गह्या हाथ।
सुपना में म्हाने परण गया पाया अचळ सुहाग।
मीराँ गिरधर मिल्या री! पुरब जलम रो भाग।

(53)

माई! म्हारी हरि न बूझी बात।
पिण्ड मांसूं प्राण पापी, निकस क्यूँ न जात।
पट ना खोल्या मुख ना बोल्या, साँझ भई परभात।
अबोलणा जुग बीतण लागा काय री कुसळात।
मीराँ दासी स्याम राती पलक रियो न जात॥

(54)

माई री! म्हारे नेणा बाण पड़ी।
जिण दिन नेणा स्याम, निहारे धीरज नाहीं धरी।
चित बस्यो म्हारे साँवरो मोहन, तन मन सुध बिसरी।
न छोड़ी रस रूप माधुरी, छाण थकी डगरी।
मीराँ हरि! हाथ बिकाणी, जन कुळ काँण सरी॥

(55)

माई! म्हैं तो साँवरे रंग राची।
साज सिणगार बाँध पग घुंघरु, लोक लाज तजि नाची।
गयी कुमत लई साधां संगत, स्याम प्रीत जग साँची।
गाय गाय हरिगुण निस दिन, काल ब्याल ज्यूं बाँची।
स्याम बिना जग खारो लागे, जब री बाताँ काची।
मीराँ श्री गिरधर नट नागर, भगती रसीली जाँची॥

(56)

मीराँ लागो रंग हरि और न रंग अटक परी।
चूड़ो म्हारे तिलक अरु माळा, सीळ बरत सिणगारो।
और सिणगार म्हारे दाय न आवे यो गरु ग्यान म्हारो।
कोई निन्दो कोई बिन्दों म्हें तो गुण गोविन्द रा गास्याँ।
जिण मारण म्हाराँ साध पधारे उण, मारग म्हें जास्याँ।
चोरी न करस्याँ जीव न सतास्याँ काँई करसी म्हारो कोई।
गज सूं उतर खर नहीं चढस्याँ, आ तो बात न होई॥

(57)

मुरलिया बाजे जमना तीर।
मुरली म्हारो मन हर लीन्हो, चित धरे ना धीर।
स्याम कन्हैया स्याम कमरिया, स्याम ही जमना रो नीर।
धुन मुरली सुण सुध बुध बिसरी, जर जर म्हारो सरीर।
मीराँ रा प्रभु गिरधर नागर बेगी हरो म्हारी पीर॥

(58)

म्हाँ गिरधर आगे नाचाँ री।
नाच नाच म्हाँ रसिक रिझावाँ, प्रीत पुरातन जाँचाँ री।
स्याम प्रीत री बाँध घुंघरिया, मोहन आगे नाँचाँ री।
लोक लाज कुळ री मरजादा जग माँ, नेक ना राखाँ री।
प्रीतम पल छिन ना विसरावाँ, मीराँ हरि रंग राची री॥

(59)

म्हाने क्यों तरसावो।
रावरे कारण कुळ जग छोडया, अब आप क्यूँ बिसरावो।
विरह विथा लागी उर भीतर आप आय बुझावो।
अब छोड़या ना बणे मुरारी, सरण गह्या बलि जावां।
मीराँ जनम जनम री दासी, जग माँ प्रीत निभावां॥

(60)

स्याम! म्हाने चाकर राखो जी,
गिरधारी लाला म्हाँने चाकर राखोजी।
चाकर रहस्यूँ बाग लगास्यूँ नित उठ दरसण पास्यूँ।
बिन्दरावन री कुंज गळी में, गोविन्द लीला गास्यूँ।
चाकरी में दरसण पास्यूँ, सुमरण पास्यूँ खरची।
भाव भगती जागीरी पास्यूँ, तीनूं बाताँ सरसी।
मोर मुगट पीताम्बर सौहे, गळ वैजन्ती माळा।
बिन्दरावन में धेनु चरावे, मोहन मुरली वाळा।
ऊँचा ऊँचा महल बणावं बिच बिच राखूँ बारी।
साँवरिया रा दरसण पास्यूँ, पहर कुसुम्बी साड़ी।
आधी रात प्रभु दरसण, दीज्यो जमनाजी रे तीरां।
मीराँ रा प्रभु गिरधर नागर, हिवड़ो घणो अधीराँ॥

(61)

म्हारा ओळगिया घर आज्यो जी।
तन री ताप मिट्याँ सुख पास्याँ, हिल मिल मंगळ गाज्यो जी।
बँसी री धुन सुण मोर मगन भया, म्हारे आँगण आज्यो जी।
चन्दा देख कमोदन फूली, हरष घणा म्हारे छाज्यो जी।
रोम रोम म्हारो सीतळ सजनी, मोहन आँगण आज्यो जी।
से भगताँ रा कारज साध्या, म्हारो परण निभाज्यो जी।
मीराँ विरहण गिरधर नागर, मिल दुःख दुन्द मिटाज्यो जी॥

(62)

म्हारा जनम जनम रा साथी,
आपने नहीं बिसरुँ दिन राती।
आप देख्याँ बिन चैन न पड़े जाणे म्हारी छाती।
ऊँची चढ़ चढ़ पंथ निहारुँ, रोय रोय अँखियाँ राती।
भोसागर जग बन्धन झूंटो, झूंटा कुळ रा न्याती।
पल पल रावरो रूप निहाराँ, निरख निरख मदमाती।
मीराँ रा प्रभु गिरधर नागर, हरि चरणाँ चित राती॥

(63)

म्हारे तो गिरधर गोपाळ दूसरो न कोई।
दूसरो न कोई साधों! सकळ लोक जोई।
भाई छोड्या बन्धु छोड्या, छोड्या सगासोई।
साधाँ संग बैठ बैठ, लोक लाज खोई।
भगत देखद राजी हुई, जगत देख रोई।
असुवाँ जळ सींच सींच, प्रेम बेल बोई।
दधि मथ घ्रत काढ़ लियो, डाळ दी छोई।
राणा विषरो प्यालो भेज्यो, पीय मगन होई।
अब तो बात फेल पड़ी, जाणै सब कोई।
मीराँ री लगन लागी, होणी हो सो होई॥

(64)

म्हारे घर होता जाज्यो महाराज।
नेण बिछावूँ हिवड़ो डारूँ सिर पर राखूँ बिराज।
पांवणाँ म्हाँरे भाग सवारण, जगत उधारण काज।
संकट मेटो भगत जणाँ, रो, राखो पुन्न री पाज।
मीराँ रा प्रभु गिरधर, नागर, बाह गह्याँ री लाज।

(65)

म्हारे घर आज्यो प्रीतम प्यारा, आप बिन सब जग खारा।
तन मन धन सब भेट धरूँली, भजन करूँली राव रा।
आप गुणवन्त बड़े गुणसागर, मो में ओगण सारा।
मैं निरगुणी गुण एको नाँहि, आप हो बगसण वारा।
मीराँ कहे प्रभु कब रे मिलोला, बिन दरसण दुखियारा॥

(66)

म्हारे लगन सिरी चरणाँ री।
स्याम बिना म्हाँने कीं ना भावे, जग माया या सुपनाँ री।
भोसागर जगभया कुळ बन्धन, डार दिया हरि चरणाँ री।
मीराँ रा प्रभु गिरधर नागर, आस गह्याँ रावरो री सरणाँ री॥

(67)

म्हारे गोकुळ रा ब्रजवासी।
ब्रज लीला लख जन सुख पावै, ब्रज वनिता सुख रासी।
नाचाँ गावाँ ताळ गजावाँ, पावाँ आनन्द हाँसी।
नन्द जसोदा रे पुन्न सूं प्रगट्या प्रभु अविनासी।
पीताम्बर कटि उर वैजन्ती, कर सोहे री बाँसी।
मीराँ रा प्रभु गिरधर नागर, दरसण दीज्यो दासी ॥

(68)

म्हारो परणाम बाँके बिहारी जी!
मोर मुगट भाल तिलक बिराजे, कुण्डळ अलकाँ कारी जी।
अधर मधुर धर बँसी बजावे, रीझ रिझावे ब्रज नारी जी।
या छब देख्याँ मोही मीराँ, मोहन गिरवर धारी जी॥

(69)

म्हारो मन हर लीनो रणछोड़।
मोर मुगट सिर छत्र बिराजे, कुण्डळ री छबी ओर।
चरण पखार्‌याँ रतनाकर री धारा, गोमती जोर।
धवजा पताका तट तट राजे, झालर री झकजोर।
भगत जणा रा काज संवार्‌या, म्हारा प्रभु रणछोड़।
मीराँ रा प्रभु गिरधर नागर, कर गह्याँ नन्द किसोर॥

(70)

म्हारो गोकुळ रो ब्रजवासी।
जग सुहाग मिथ्या री सजनी! होवे हो मिट जासी।
वरण वर्‌या अविनासी, म्हांने काळ व्याल ना खासी।
म्हारो प्रीतम हिरदे बसे, संतां दरस लह्या सुख दासी।
मीराँ रा प्रभु हरि अविनासी, सरण गह्या या दासी॥

(71)

सुण हरि अधम उधारण, अधम उधारण भव भय तारण।
गज बूड़ताँ अरज सुण धाया, भगताँ कस्ट निवारण।
द्रुपद सुता रो चीर बढ़ायो, दुसासण मद मारण।
प्रहलाद री प्रतिग्या राखी, हरणाकंस रो दरप विदारण।
रिख पतनी किरपा पाई, बिप्र सुदामा विपद निवारण।
मीराँ रा प्रभु अरजी म्हारी, अब उवरे किण कारण॥

(72)

रंग भरी राग भरी, राग सूं भरी।
होळी खेली स्याम संग, रंग सूं भरी री॥
उड़त गुलाल लाल, बदळाँ रो रंग लाल री।
पिचकारी उड़वा रंग रंग री झरी री॥
चोवा चंदण अरगजा, म्हाँ केसर नी गागर भरी री।
मीराँ दासी गिरधर नागर, चेरी चरण हरि री॥

(73)

रावरो विरद म्हाने रुड़ो लागे, पीड़त म्हारो प्राण।
सगा सनेही म्हारे ना कोई, बेरी सकळ जहान।
ग्राह गयो गजराज उबार्‌यो, अछूत कर्‌या वरदान।
मीराँ दासी अरज करे म्हारे सहारा ना आन॥

(74)

राय श्री रणछोड़ दीज्यो द्वारिका रो बास।
संख चक्र गदा पद्‌म देख्याँ, मिटै जम री त्रास।
सकळ तीरथ गोमती रो रहत नित निवास।
संख झालर झाँझर बाजै, सदा सुख री रास।
तज्यो देसरु वेंसही तजि दीनो तज्यो राणा वास।
दासी मीराँ सरण रावरी राखो म्हारी लाज॥

(75)

हे री! म्हारे पार निकस गया, साँवरे मार्‌या तीर।
विरह अनळ लागी उर अन्तर, व्याकुळ म्हारो सरीर।
चंचळ चित चलायाँ न चाले, बाँध्या प्रेम जंजीर।
के जाणे म्हारो प्रीतम प्यारो, के जांणा म्हाँ पीर।
म्हारो कोई ना बस सजनी, नैण झर्‌या दो नीर।
मीराँ रा प्रभु आप मिलिया बिन, प्राण धरत ना धीर॥

(76)

हे री! म्हा बैठी जागाँ, जगत सब सोवे।
विरहण बैठी रंग महल माँ नैणाँ लड़िया पोवे।
तारा गणताँ रैंण वितावे, सुख री घड़ियाँ जोवे।
मीराँ रा प्रभु गिरधर नागर गिल बिछुड़न ना होवे॥

(77)

लगन म्हारी स्याम सूं लागी नेणाँ निरख पाय।
साज सिणगार सुहागाँ, सजनी प्रीतम मिलिया धाय।
वर ना वरियो वापुरो जनम्याँ जनम नसाय।
वरियो साजन साँवरो, म्हारो चुड़लो अमर हो जाय।
जनम जनम रो कानुडो म्हारी प्रीत बुझाय।

(78)

सुण्यो री! म्हारे हरि आवेलो आज।
म्हेलाँ चढ़ चढ़ जोवाँ सजनी, कद आवे महाराज।
दादुर मोर पपीहा बोले, कोयल मधुरा साज।
उमग्यो इन्द्र चहुँ दिस बरसे, दामन छोड़्याँ लाज।
धरती रूप नवा नवा धार्‌या इन्द्र मिलण रे काज।
मीराँ रा प्रभु गिरधर नागर, वेग मिलो महाराज॥

(79)

स्याम बिन सखी रह्यो न जाय।
तन मन जीवण प्रीतम वांराँ, राव रे रूप लुभाय।
खान पान म्हाने फीका लागे, नैण रह्या मुरझाय।
निस दिन जोवाँ बाट मुरारी, कबरे दरसण पाय।

(80)

स्याम बिन दुःख पावाँ सजनी, कुण म्हाने धीर बँधावे।
यो सँसार कुबुध रो भांडो, साध संगत ना भावे।
साध जनं री निन्दा ठाणे, करम री कुगत कुमावे।
साध संगत में भूल न जावे, मूरख जनम गमावे।
मीराँ रा प्रभु रावरी सरणाँ, जीव परम पद पावे।

(81)

स्याम मिलण रो घणो उमावो, नित उठ जोऊँ वाटड़ल्या।
दरस बिना मोहि कछु न सुहावै, जक न पड़े दिन रातड़ियाँ।
तड़फत तड़फत बहु दिन बीता, पड़ी विरह री गाठड़ियाँ।

(82)

स्याम नाम म्हारे मन बसियो,
रसियो स्याम रिझाऊँ ए माय।
मन कूँ मार सजुं सत गुरु सूं,
दुरमत दूर गमाऊँ, ए माय।
बरँकों नाम सुरत री डेरी,
कड़ियाँ प्रेम, चढ़ाऊँ ए माय।
ग्यान रो ढोल बण्यो अति भारी,
मगन होय गुण गाऊँ ए माय।
तन करूँ ताल मन करूँ मोरचंग,
सूती सुरत जगाऊँ ए माय।
निरत करूँ मैं प्रीतम आगे,
तो प्रीतम पद पाऊँ ए माय।
मो अबला पर किरपा कीज्यो,
गुण गोविन्द रा गाऊँ ए माय।
मीराँ रा प्रभु गिरधर नागर,
रज चरणां री पाऊँ ए माय॥

(83)

सखी! म्हारा साँवरिया ने देखवो कराँ री।
साँवरो उमरण साँवरो सुमरण, साँवरो ध्यान धराँ री।
ज्याँ ज्याँ चरण धर्‌या धरणीधर, त्याँ त्याँ निरत कराँ री।
मीराँ रा प्रभु गिरधर नागर कुजाँ गैल फिराँ री॥

(84)

सखी म्हारी नींद नसाणी हो।
पीव रो पथ निहारताँ, सा रेण विहाणी हो।
सखियाँ से मिल सीख दयी, मन एक न मानी हो।
बिन देख्याँ कल ना पड़े, मन रोस ना ठाणी हो।
अँग खीण व्याकुळ भया मुख, पीव पीव वाणी हो।
अन्तर वेदन विरह री, म्हारी पीड़ ना जाणी हो।
ज्यूँ चातक घन रटे, मछली ज्यूँ पाणी हो।
मीराँ व्याकुळ विरहणी, सुध बुध बिसराणी हो।

(85)

सजना कद मिळसी पीव म्हाँरा।
चरण कँवळ गिरधर सुख, देसी नैणा नेरा।
निरखण म्हारे चाव घणे, रो मुखड़ो देखाँ रावरा।
व्याकुल प्राण धरे ना धीरज, वेग हरो म्हाँ पीरा।
मीराँ रा प्रभु गिरधर नागर आप, बिन तपन घणेरा॥

(86)

साजन म्हारे घर आया हो।
जुगाँ जुगाँ री जोवती बिरहणी, पिव पाया हो।
रतन कराँ न्योछावर ले, आरती साजाँ हो।
प्रीतम दिया संदेसड़ा म्हारे घराँ निवाजा हो।
पिया आया म्हारे साँवरा अँग आणंद साजाँहो।
मीराँ रा सुख सागर, म्हारे सीस विराजाँ हो॥

(87)

साँवरा म्हारी प्रीत निभाज्यो जी।
आप छो म्हारे गुण रा सागर ओगुण म्हाँ विसराज्यो जी।
लोक ना धीजे मन ना पतीजे मुखड़ा सबद सुणाज्यो जी।
दासी रावरी जनम जनम री, म्हारे आँगण आज्यो जी।

मीराँ रा प्रभु गिरधर नागर, बेड़ो पार लगाज्यो जी।

(88)

साँवरिया रंग राची राणा, साँवरिया रंग राची।
ताल पखाबज मिरदंग बाजे, सांधाँ आगे नाची।
बूज्या म्हारे मदन बावरी स्याम प्रीत म्हाँ काची।
विषरो प्यालो राणा भेज्यो, अरोग्या ना जाँची।
मीराँ रा प्रभु गिरधर नागर, विरह मदन सूं दाजी॥

(89)

साँवरो नन्द नन्दन दीठ पड़्यो माई।
डारी सा लोक लाज सुध बुध बिसराई।
मोर चन्द रा किरीट मुगट छबि सुहाई।
केसर रो तिलक भाल लोचन सुखदाई।
कुण्डळ झलके कपोल अलका लहराई।
मीन तजि सरवर ज्यूँ मकर मिलन धाई।
नटवर प्रभु भेख धर्‍याँ रूप जग लुभाई।
गिरधर प्रभु अँग अँग मीराँ बलि जाई॥

(90)

साँवरियो छाय रह्यो परदेस।
म्हासूं बिछड़्या फैर न मिल्या, भेज्या नाहिं संदेस।
रतन आभूषण छाड़्या, खेर किया सिर केस।
भगवाँ भेष धर्‍या आप कारण ढूँड़्या च्यारू देस।
मीराँ रा प्रभु स्याम मिलण बिन, जीवण जनम अनेस॥

(91)

सीसोद्यो रूठ्यो तो म्हारो काँई करलेसी।
म्हें तो गुण गोविन्द रा गास्याँ हे माय ॥टेक॥
राणेजी रूठ्याँ वांरो देस राखसी, हरि रूठ्याँ कित जास्याँ हे माय।

लोक लाज री काण न मानूँ, निरभय निसाण धुरास्याँ हे माय।
स्याम नाम री जहाज चलास्याँ, भवसागर तिर जास्याँ हे माय।
मीराँ सरण सबळ गिरधर री, चरण कमल लपटास्याँ हे माय॥

(92)

स्याम मिलण रे काज सखी उर आरत जागी।
तड़फ तड़फ कल ना पड़े, बिरहानळ लागी।
निस दिन पंथ निहाराँ पिव रो, पलक ना पलभर लागी।
पीव पीव म्हाँ रटाँ रैण दिन, लोक लाज कुळ त्यागी।
विरह भुजंगम डस्यो कळेजे लहर हलाहल जागी।
मीराँ व्याकुळ अति अकुलानी स्याम उमंगा लागी॥

(93)

स्याम सुन्दर पर वाराँ, जीवड़ो डाराँ।
रावरे कारण जग से त्यागा लोक लाज कुल डाराँ।
आप देख्याँ बिन कळ ना पड़त, नैणाँ चलै धाराँ।
किण सूं केवाँ कुण बुझावे कठिन विरह री धाराँ।
मीराँ रा प्रभु दरसण दीज्यो आप चरणाँ आधाराँ॥

(94)

हरि आप हरो जन री भीर।
द्रोपदी री लाज राखी, आप बढ़ायो चीर।
भगत कारण रूप नरहरि, धर्‌यो आप सरीर।
बूढ़तो गजराज राख्यो, काटी कुण्जर पीर।
दासी मीराँ लाल गिरधर, हरो म्हारी भीर॥

(95)

हरि बिन क्यूँ जीवाँ री माय।
स्याम बिना बोली हुई, मन काठ ज्यूँ घुण खाय।
मूळ ओखद ना लागी, म्हाने प्रेम पीड़ा खाय।

मीन जळ बिछूड़यां ना जीवे, तड़फ तड़फ मर जाय।
ढूँढ़ता बन स्याम डोलाँ, मुरलियाँ धुन पाय।
मीराँ रा प्रभु लाल गिरधर, बेग मिलेज्यो आय॥

(96)

हरि म्हारा जीवण प्राण आधार।
ओर आसरो ना म्हारे आप बिन तीनू लोक मँझार।
आप बिन म्हाँने जग ना सुहावे, निरख्यो सो सँसार।
मीराँ रा प्रभु! दासी रावळी, लीज्यो नेक निहार॥

(97)

हेरी म्हें तो दरस दिवाणी म्हारो दरद न जाणे कोय।
घायल री गत घायल जाणे, हिवड़े अगन संजोय।
जोहर कीमत जोहर जाणे और न जाणे कोय।
दरद री मारी दर दर डोलूँ, वैद मिल्या ना कोय।
मीराँ री प्रभु पीर मिटे जद वैद साँवरो होय॥

(98)

होळी पिया बिन म्हाँने ना भावे घर आँगण न सुहावे।
दीपाँ जोवाँ चोक पुरावाँ हेली, पिया परदेस सजावे।
सूनी सेजाँ ब्याल बुझावाँ, जागाँ रेण बितावाँ।
नींद नेणाँ ना आवे।
कद री डाड़ी म्हाँ मग जोवाँ, निस दिन विरह जगावाँ।
किण सूं मनरी बिथाँ बतायाँ, हिवड़ो म्हाँ अकुळावाँ।
पिया कद दरस दिखावे।
दिख्या ना कोई परम सेनही, म्हारो सनेसो लावे।
वा विरियाँ कद होसी, म्हाने हँस पिय कंठ लगावे।
मीराँ हाळली गावे॥

(99)

सखी म्हारो कानूड़ो कळेजे री कोर।
मोर मुमट पीताम्बर सोहे, कुण्डळ री झकजोर।
वृन्दावन री कुंज गळी में नाचत नन्द किशोर।
मीराँ रा प्रभु गिरधर नागर, चरण कमल चित चोर ॥

(100)

आज म्हे देख्यो गिरधारी।
सुन्दर बदन मदन री सोभा, चितवन अणियारी।
बजावत बँसी कुँजन में॥
गावंत ताल तरंग रंग धुनि, नाचत ग्वालन में।
माधुरी मूरत बा प्यारी।।
बस रहें निसदिन हिरदे बिच टरे नहीं टारी।
वाहि पर तन मन है वारी।
वह मूरति मोहनी निहारत, लोक लाज डारी।
तुलसी बन कुँजन संचारी।
गिरधर नवल नट नागर, मीराँ बलिहारी॥

(102)

मुकुट पर वारी जाऊँ नागर नन्दा, बाल मुकुन्दा।
सब देवन में आव बड़े हों, ज्यों तीरथ बिच गंगा।
सहस्र गोप्याँ बिच आप बिराजो, ज्यों तारन बिच चँदा।
सीस चन्दन री खेर विराजे बिच केसर री बिन्दी।
मीराँ कहे प्रभु गिरधर नागर, आप ठाकुर हम बान्दी॥

(103)

गिरधरलाल प्रीत मत तोड़ो।
गहरी नदियाँ नाँव पुरानी, अध बिच में काँई छोड़ो।
आप ही हो म्हारे सेठ बहोरा, ब्याज मूल काँई जोड़ो।
मीराँ रा प्रभु गिरधर नागर, रस में विष काँई घोळो॥

(104)

कोई केवो रे प्रभु आवण री, मन भावण री।
आप न आवे लिख नहीं भेजे, बाण पड़ी ललचावण री।
अे दोउ नेणाँ कह्यो नहीं माने, नदियाँ बहे ज्यूँ सावण री।
काँई करूँ की बस नहीं म्हारो पाँख नहीं उड़ जावण री।
मीराँ कहे प्रभु कब रे मिलोला, चेरी भई हूँ राज रे दामन री॥

(105)

मैं तो गिरधर रे घर जाऊँ।
गिरधर म्हारौ साँचो प्रीतम देख रूप लुभाऊँ।
रेण पड़े तद ही उठ जागूँ भोर हुयो उठ जाऊँ।
रेण बिना वारे संग खेलू ज्यूँ त्यूँ ताहि रिजाऊँ।
जो पहिरावे सोई पहिरूँ जो देवे सोई खाँऊ॥
म्हारी उणाँरी प्रीत पुराणी उणाँबिन पल न रहाऊँ।
जिस बैठावे तीत ही बैठूँ बेचे तो बिक जाऊँ।
मीराँ रा प्रभु गिरधर नागर, बार बार बलि जाऊँ॥

(106)

इस्या प्रभु ने जावण न दीजे हो।
तन मन धन करि वारणे हिरदे धरि लीजे हो।
आव सखी मुख देख नेणाँ रस पीजे हो॥
जिह जिह विध रीझे हरि, सोई विधि कीजे हो।
सुन्दर श्याम सुहावणा, मुख देख्याँ जीजे हो।
मीराँ रा गिरधर प्रभुजी अड़ भागण रीझे हो॥

(107)

गोविन्द कद मिले पिव म्हारा।
चरण कँवल हँस हँस देखूँ राखूँ नेणा नेरा।
निरखण री म्हाने चाह घणेरी कद देखूँ मुख रावरा ॥
व्याकुल प्राण धरे नहीं धीरज, मिल कीमत सवेरा।
मीराँ रा प्रभु गिरधर नागर, ताप तपन बहुतेरा॥

(108)

माई! म्हारे नेणा बाण पड़ी री।
जा दिन नेणा स्याम न निरखे, विसरत नाँहि घड़ी री।
चितवन बसगी साँवरी सूरत, उर सूं नाँहि टरी री।
मीराँ हरि रे हाथ बिकाणी, सरवस दे निवड़ी री॥

(109)

जोगिया जी, दरसण दीजो आई।
रावरे कारण सो जग ढुढ्यो, घर घर अलख जगाई।
खान पान सब फीको लागे नैण नीर न माई।
घणा दिनाँ रा बिछुड्या, जोगिया, आप देख्याँ सुख पाई।
मीराँ दासी आ चरणाँ री, मिल्ज्यो कंठ लगाई।

(110)

बसो म्हारै नैणा में नंदलाल,
मोहनी मूरत साँवळी सूरत नेणा बण्या विसाळ।
मोर मुगट मकराक्रत कुण्डल, अरुण तिलक दिया भाळ।
सुद्र घंटिका कटि तटि सोभित, नुपुर सबद रसाळ।
मीराँ रा प्रभु संतन सुखदाई, भगत बछळ गोपाळ।

(111)

जनम मरण रा साथी आपने नहीं बिसराऊँ दिन राती।
आप देख्याँ बिन कळ न पड़त है, जाणे म्हारी छाती।
ऊँची चढ़ चढ़ पंथ निहारुँ रोय रोय अखियाँ राती।
म्हारा जनम मरण रा साथी॥
ओ मन मसत कियो नाहीं माने, ज्यूँ मेमंत हाथी।
मावत होय ऊपर बैठू आँकस, दे समझाती।
म्हारा जनम मरण रा साथी॥
ओ सकळ जग झूठो झूँठा, कुळ रा नाती।
बिखर जाय धुवैरा बादळ, ज्यूँ नी कोई मिले संगाती।

म्हारा जनम मरण रा साथी॥
जद देखूँ जगद रुप रावरो, हरख हरख गुण गाती।
म्हारा जनम मरण रा साथी, आपने नहीं बिसरुँ दिन राती॥

(112)

राणाजी गिरधर रा गुण गास्याँ।
गुर परतामप साध री संगत सहजे ही तिर जास्याँ।
म्हारे तो परण चरणाम्रत रा, नित उठ देवळ जास्याँ।
कथा कीरतण सुणं तिसि वासर, महा प्रसाद ले पास्याँ।
सुण सुण वचन साधाँ रे मुखरा, निरत कराँ अर नाचाँ।
प्रेम प्रतीति जपाँ निसि वासर, फेरुँ भोजन पास्याँ।
लोक वेद री काण न मानूँ, गिरधर रे रंगराचाँ।
नाँव अमोलक अम्रत रूपी, सिर रे साटे ल्यास्याँ।
रावरे भरोसे ऊपर, विस रो प्यालो पीस्याँ।
मीराँ गिरधर नागर री व्हाली, पीवत मन न डुलास्याँ॥

मीराँ के पदों का सामाजिक एवम् सांस्कृतिक अध्ययन

मीराँबाई एक ओर पुनीत भक्त आत्मा है तो दूसरी ओर लोकनिधि। इस लोक में रहकर ही आदर्श भक्ति का प्रस्तुतीकरण करने वाली मीराँ को लोक से परे रख कर नहीं समझा जा सकता। उसकी अनुभूति और अभिव्यक्ति लौकिक है। यही कारण है कि एक ओर उसके पदों में मीराँ युगीन राजनैतिक, धार्मिक, आर्थिक एवं साँस्कृतिक परिस्थितियों, लोकप्रचलित धारणाओं, लोक-विश्वासों तथा मान्यताओं का दिग्दर्शन है तो दूसरी ओर लोकभाषा और उसकी लौकिक शब्दावली भी अपने सहज रूप में है। तत्कालीन आवागमन एवं मनोरंजन के साधन रीति-रिवाज, खान-पान, वेशभूषा, यहाँ तक की लोक एवं व्यक्ति-चिन्तन, तथा लोक और व्यक्तिपरक शकुन एवं आस्थाओं का स्वाभाविक चित्रण मीराँ के पदों में हुआ है। संक्षिप्त रूप से यही कहा जा सकता है कि मीराँ के पदों में मीराँ युग की भव्य सांस्कृतिक झाँकी विद्यमान है। मीराँ के पदों के एक-एक शब्द से मीराँ का युग मुखरित होता है। यह सच भी है कि जिस परिवार तथा समाज में मीराँ पल्लवित हुई, जिन परिस्थितियों ने उसके जीवन निर्माण में योग दिया उन्हें वह कैसे विस्मृत करती क्योंकि मीराँ भी तो अपने युग और परिस्थितियों की ही देन थी। यदि हम मीराँ के पदों का सामाजिक एवं साँस्कृतिक अध्ययन करें तो हमें लगेगा जैसे उनमें मीराँ का युग साकार हो उठा है।[1]

लोक जीवन

मीराँ के पदों में वस्त्र एवम् आभूषण–

लोक जीवन में जिन वस्तुओं का प्रयोग और प्रचलन होता है, जैसी धारणाएँ और मान्यताएँ होती हैं, जैसी भाषा और साहित्य होता है, जैसे रीति-रिवाज, वस्त्राभूषण, त्यौहार आदि होते हैं उन सबका वर्णन साँस्कृतिक अध्ययन माना जा सकता है। भारतीय महिलाओं की आभूषण पहनने की रीति बड़ी प्राचीन है। प्राचीन काल से ही बारह प्रकार के आभूषण प्रचलित रहे हैं। जैसे नूपुर, किंकणी, वलय, अँगूठी, कँगन या कँकन, अंगद, हार, कण्ठश्री, बेसर, बिरिया, टीका और

शीशफूल।[2] आचार्य रामचन्द्र शुक्ल ने इन आभूषणों के मूल चार भेद माने हैं। मीराँ के युग में स्त्री और पुरुष यहाँ तक कि पशुवर्ग में भी वस्त्र और आभूषण पहनाने का प्रचलन था। प्रत्येक वर्ग के लिए एक निश्चित पोशाक और आभूषणों का प्रचलन था। इन्हीं वस्त्रों और आभूषणों से जाति अथवा वर्ग विशेष को दूर से ही पहचाना जा सकता था। पुरुष भी कई प्रकार के वस्त्र और आभूषणों का प्रयोग करता था। पशुवर्ग में रथ के बैलों, घोड़ों, ऊँटों, हाथियों आदि को पूर्णतया वस्त्रों और आभूषणों से सुसज्जित किया जाता था। पक्षी वर्ग में भी तोते (सुए) की चोंच सोने से मढ़ाई जाने के उल्लेख मिलते हैं प्रमुखतया, हीरे पन्नों से लेकर सोना, चाँदी और पीतल तक के आभूषण तत्कालीन समाज में प्रयुक्त होते थे। मीराँ के पदों में यत्र तत्र तत्कालीन वस्त्रों और आभूषणों का उल्लेख कई बार हुआ है।

वस्त्र (स्त्री समाज के)–

1. *अतरस* को लैंगो वणावस्याँ रे। चोली *बूँटादार*।
2. है जी नरसी जी मारी *लहरयो* भीजै छै राज।
3. पेर्‌यो *दषोणो चीर*
4. सैज सजा मैं गई जमना पे। ओढ़ कसुमल *सारो*
5. आप रंगीली *सारो* कुचन में अति भारी।
6. लैंहगो लाल कसुमल *अंगोया,* ओडण कुंचपला साड़ी।

वस्त्र (पुरुष समाज के)–

1. मुगट *दुसाला* सूं ढाकोजी
2. आज तो *पेचपाग* के नीके

श्री कृष्ण की वस्त्र सज्जा–

1. स्वाम वरन तन उपरि साजनी *पीतवसन* फैहराया
2. जाजर बोल हाथ में लीजो, *मुगट दुसाला* सूं ढाकोजी
3. *मोर-मुकट पीताम्बर* सोहै
4. बागो तो सोवै *केसरियो* रे मन मान्या जी।
   कोई माँथे *पचरंग पाग*
   कोँई पाँन *पीताम्बर* धोवती रै मन मान्या जी।
   कोई *सुतरण* पेरणा पाँव
   कोंई पांव *लाखोणो मोचडी* रे मन मान्या जी।
5. है जरी कसयो *फैटौ* केसरियो माथे *मुकुट सवार क्रोड़मा*

आभूषण–

1. करवो *कँगन* देऊँगी *मोतियन की लार* देऊँगी।
   तिन मोरे पियहवू की बतियाँ सुनाई।
2. असी मोहर को तो *तेवटो*। म्हारी *नथड़ी* भळकादार।
   जी म्हारे दाँतन *चुप* दीरावो रे॥
3. पदनु प्रकटि किंकनी हो घुंघरान की झणकार।
4. बाँया तो *बाजूबंद* कस्या। उवाके गल *मोतियन* की माला है।
5. कहा तोरो *हार* कहा *मष वेसर*। कहा *मोतियन की लड़* टुटी।
6. भीजै छै म्हारो *मोसर हार*
7. नष सब गेहणो सरब सोना रो बिच बिच मोती पोयो।
8. *सीस फूल* सर बीराजै, गल *कँचन की खगवाली*।
   रणजण रणजण नैवर वाजे धन जोबन मतवाली॥

श्री कृष्ण के आभूषण–

1. वन कु जावत वैन बजावत गल *वैजंतिमाल*
   मोर मुगट सीर *छत्र* वीराजै *कुंडल* झलकत कान
   मीराँ कहे प्रभु गिरधर नागर नीरषत भई निहाल
2. *मोर मुकुट पीताम्बर* सोहै गल *मोतियन की माल*
3. काँई हात हीरा जड़ी मुंदड़ी रे मन मान्या जी,
   काँई झलकत मोती कान

उपर्युक्त पद्यांशों से ज्ञात होता है कि मीराँ के युग में स्त्री समाज में लैंगा, चोली, लहरिया (दुपट्टा) का अधिक प्रचलन था। अस्सी मोहर का तैवटा, राजपरिवार में ही हो सकता है। तैवटा, नथ, बाजूबंद, मोतियों का हार, किंकनी, कँगन, घूघरे, हार, नोसरहार आदि आभूषण मीराँ के युग में अत्यधिक प्रचलित थे। मीराँ शासक वर्ग से थी अतः सम्भव है मीराँ के परिवार जाति अथवा वर्ग में प्रचलित इन आभूषणों का ही अधिक प्रयोग इन के पदों में मिलता है। सम्पूर्ण शरीर (नख-शिख) स्वर्णाभूषणों से, जिनके बीच-बीच में मोती पिरोए गए हों, ढका रहता था।

स्त्री-शृंगार–

बारह आभूषणों की तरह ही सोलह शृंगार का भी उल्लेख प्राचीन साहित्य में होता है। सोलह शृंगार शरीर के सोलह अवयवों[4] से सम्बद्ध माने गए हैं। लोक जीवन में स्त्री शृंगार भी अपना महत्त्व रखता है। अपने प्रिय से मिलने जाने वाली स्त्री के (राधा के प्रंसग में) शृंगार को (मीराँ के पदों में) देखकर,

मीराँ युग का चित्र स्मरण हो जाता है—

टलवता पांडणो फूल गुलाबी रंग राधाजी ओडण चीर जरी का।
वींदी भाल नेण वीचे कजला वैर जडाऊ रा टीका॥
मोतीअैन माँग भरी रादे जी को करोड़ चंदरमा सा नीका।
तीका नेण रादे जी का ज्याने मोया कंवर नंद जी का॥

भाल पर बिन्दी, नेत्रों में काजल, जरी का चीर, और मोतियों से माँग भर कर श्रृंगार करना मीराँ युग में प्रचलित रहा है। उसी की अभिव्यक्ति प्रस्तुत पद में हैः—

पाटी पाड़ी माँग संवारी नोसत करूँ ली सिंगार
साँवरिण थारी सैज सुरंगी म्हे देषूंली नैन निहार।

मीराँ के पदों में लोक विश्वास एवम् लोकधारणा (अन्ध विश्वास) :—

मानव सभ्यता के आदिम काल से ही मानव समाज में ऐसे अनेक विश्वास मान्य और प्रचलित रहे हैं जिन्हें तर्क और विवेक से नहीं समझा जा सकता। जिन्हें हम अन्ध विश्वास कह सकते हैं। श्रीमती शार्लट सोफिया वर्न ने अन्धविश्वासों को कई विषयों से सम्बद्ध किया है।[5]

भारतीय लोक-जीवन में जन्त्रों-मन्त्रों के प्रति आस्थाभाव प्रायः वैदिक काल से देखा जाता है। अथर्व वेद के अनेक मन्त्र इस बात के साक्षी ज्ञात होते हैं कि उस समय भूत-प्रेत, पिशाच, असुर-राक्षस आदि अलौकिक शक्तियों में विश्वास किया जाता था।[6] वर्तमान में अन्धविश्वासों को 5 कोटियों में रखा गया है।[7] लोक जीवन के प्रचलित विश्वास और मूढ़ाग्रह भी अभिजात वर्गीय साहित्य में आवश्यक उपादान से गृहीत हुए हैं। शकुन-अपशकुन और स्वप्न विचार आदि के माध्यम से कवि अथवा भक्त ने अपनी व्यथा अथवा इच्छा को अभिव्यक्ति दी है। मीराँ के पदों से ज्ञात होता है कि मीराँ युग में भी लोकजीवन में इनका प्रभाव था। मीराँ ने अपने पदों में इस ओर संकेत किया है—

1. कुछ कीनों री, गोरस में कछु दीनों री।
2. टोनो कीनों री, पानन में कछु दीनों री।
3. काला तन रो पाँणी न पीयो काला लूंग न खाऊँ।
   काला कीसन जी री सैज नहीं जाऊँ मैं काली पड़ जाऊँ॥
4. स्याम कत गयो रै जादू करके।

झाड़ा—

मीराँ को विरह रूपी नाग डरा गया तब उस सर्प के जहर को उतारने के लिए, मोर पंख से झाड़े की आवश्यकता हुई—

1. मोर चंदवा के हाथी सों देत है झारो–
इस तरह कृष्ण ने विरह सर्प का विष अलग कर दिया–
दासी मीराँ लाल ग्रधर विष कियो न्यारो

धार्मिक आस्था–

1. पुन मारग चालताँ चाहे बुरा कहे सँसार
2. चरण कमल की सेवा दीजो चरणामत की प्यासी।
3. मेरा राम ने रिझाऊँ अैजी मैं तो गुण गौवींद का गाऊँ।
डाल पात के हाथ न लाऊँ ना कोई विरछ सताऊँ

मीराँ के पदों में शकुन–

लोकजीवन में शकुन का भी अपना एक महत्त्व होता है। मीराँ का युग चूँकि धर्मप्रधान था अतः उसमें शकुन का अत्यधिक महत्त्व था। प्राचीन काल में शुभा-शुभ का परिज्ञान पक्षियों की गतिविधियों से प्राप्त किया जाता था। वराहमिहिर ने शकुन सूचक 21 पक्षियों के नाम बताए हैं।[8] कालान्तर में शकुन शब्द के अर्थ का विकास हुआ और इसकी सीमा में अनेक प्रकार के आकस्मिक एवं असाधारण क्रिया-व्यापारों का समावेश हो गया। मीराँ के पदों से ज्ञात होता है कि शकुन पर उस समय बहुत विश्वास किया जाता था। मीराँ का कहना है कि–

माई री लालन आवन को में आगम जान्यो
फरकत लागे री कुच भुज वाँही
सुनि सखी एक बात पिय आवेंगे
प्रीया प्रात फूली आँगन माल
अगियाँ आगोनि मिलि *आई*

मीराँ को भी शकुन पर इतना दृढ़ विश्वास है कि वह इन शकुनों के आधार पर ही कह रही है कि 'माई री लालन आवन को में आगम जान्यों' 'कुच, भुज, वाँही' का फरकना एक शकुन है, जिससे यह संकेत मिलता है कि परम स्नेही प्रियतम अवश्य आएँगे। 'प्रीया का प्रातः आँगन में फूलना' तथा 'अगियाँ का आगोनि मिलि' आना भी इस बात की पुष्टि करते हैं कि प्रिय अवश्य आएँगे। लोक प्रचलित धारणा भी है कि–

आँख फरुके बाँई बीर मिले के सांई

इसी धारणा के अनुसार मीराँ भी कहती है–

1. मौरी आँख फरुकै बाँई, मौहे साध मिले के साँई
2. म्हारी आँखड़ली फरुकै

प्रिय के आने का दूसरा संकेत है कागा के बोलने का, तभी मीराँ कहती है–

ये आज आवैगे मेरे लाल कागा बोलत सुभ बाँनी।

लोक जीवन में कागा का बोलना शुभ माना जाता है। वह राजस्थान में प्रियजनों को मिलाने वाले पक्षी के रूप में विख्यात है। कागा से सम्बन्धित अनेक लोकगीत राजस्थान में अत्यन्त प्रचलित हैं, जैसे–

उड़ उड़ रे म्हारा काळा रे कागला
जद म्हारा पिवजी घर आवे।

'उड़ उड़ रे कारे कागा, मेरा हरी जी न घणाँ दिन लागा' इसी से मिलती हुई अभिव्यक्ति मीराँ की है–

हरि जी रौ मारिग हेरताँ। म्हे तो खड़ी उड़ाऊँ काग॥

स्त्री समाज में कुछ और ही संकेत हैं जो शकुन ही कहलाते हैं। उनका प्रयोग भी अधिकता से मीराँ के पदों में हुआ है। जैसे–

कुच भुज फरकत, कंचुकी दरकत, कर कैंकनीयाँ कर सरकत
मोर छतियाँ अलसानी, दीपक फूल फरकत जोति।

आदि सभी शकुन प्रिय आने के ही हैं।

राजस्थानी जनजीवन में 'छींक' भी अपना विशेष महत्त्व रखती है। किसी भी शुभ कार्य की बात करने अथवा योजना बनाते समय यदि छींक हो जाए तो यह समझा जाता है कि यह कार्य नहीं होगा। यहाँ तक कि किसी से मिलने जाते समय भी छींक हो जाए तो ऐसा समझा जाता है कि जाना व्यर्थ है, या तो वह मिलेगा नहीं अथवा और किसी कारण से कार्यसिद्धि नहीं होगी। छींक में पीठ पीछे छींक उतना महत्त्व नहीं रखती जितना कि सामने की छींक का होता है। यही लोक मान्यता मीराँ के पदों में भी मिलती है–

घर से निकसत मौकुँ छींक भई है। आगे बाँन सुनावै कागरिया।

एक ओर घर से निकलते ही छींक हो गई तो दूसरी ओर कागा आगे वाणी सुना रहा है। दुविधात्मक स्थिति है। उसका यही संकेत हो सकता है कि प्रिय मिलने चाहिए, ऐसा कागा की वाणी का संकेत है किन्तु चूँकि घर से निकलते ही छींक हो गई है अतः सम्भव है वे न भी मिलें। साथ ही इसका यह भी संकेत हो सकता है कि घर से निकलते ही छींक तो हो गई किन्तु आगे कागा की वाणी ने उसके असर को कम कर दिया है अर्थात् छींक होने के बाद भी प्रिय मिल सकते हैं और कागा की वाणी सफल हुई अर्थात् प्रिय मिल गए। अब गोरी प्रसन्न हो कह उठी–

'गोरि गौरी भोरि सब मिल दोरि, कगवा वधावण काज'

चूँकि कागा ने मेरा कार्य सम्पन्न करा दिया, मुझे अपने प्रियतम से मिला दिया है अतः आपो 'कागा' का अभिनन्दन करें (वधावणा), उसे बधाई दें, धन्यवाद दें, उसका आभार ग्रहण करें।

प्रियतमा को प्रियतम से मिलने के अतिरिक्त क्या चाहिए? उसकी इस एक मात्र अभिलाषा को पूर्ण कर देने वाले का वह ऋण सहर्ष स्वीकार करती है। मीराँ भी अपने जन्म-जन्म के भरतार श्री कृष्ण से मिलने को आतुर है। शकुनों से ही संकेत ग्रहण कर, कि उसके प्रिय (श्री कृष्ण) उसे मिलेंगे, वह अत्यन्त हर्षित हो रही है।

हरि जी रो मारिग हेरिताँ। म्हे तो खडि उड़ाऊँ काग

स्वप्न प्रसंग–

लोक जीवन में रात्रि में देखे गए स्वप्नों पर विश्वास कर, दिन में उन पर विचार किया जाता है। विभिन्न प्रकार के स्वप्नों से सम्बन्धित विभिन्न विश्वास लोक में सर्व प्रचलित रहे हैं।[9] प्राचीन भारतीय साहित्य में भी चरक, वराहमिहिर, आचार्य मयूख, पराशर आदि ग्रन्थकारों ने अपने ग्रन्थों में स्वप्नों की शास्त्रीय अवतारणा की है। मीराँ साहित्य में भी इस लोक भावना का उल्लेख प्राप्त होता है–

'आज सखी सपनो भयो रे'

स्त्री गत दुर्बलताओं का उल्लेख भी मीराँ के पदों में मिलता है। एक भक्त होने से पूर्व मीराँ नारी थी। अतः नारीगत दुर्बलताओं का होना अस्वाभाविक भी नहीं है। पुनः मीराँ ने अपने प्रभु से माधुर्य भक्ति की थी। श्री कृष्ण को अपना पति माना था। अतः एक आदर्श पत्नी अथवा प्रेयसी के रूप में श्रीकृष्ण पर उन्होंने अपना अधिकार समझा हो तो इसमें आश्चर्य कुछ भी नहीं है। इसी अधिकार-भावनावश मीराँ के पदों में कहीं-कहीं सोतिया डाह भाव भी दृष्टिगत होता है। जब वह कहती है–

कुबजा के सन्दर्भ में–

1. कुबज्या वे दिन क्यों न चितारे, कु.॥
   वनरावन में द्वे पग तक काडिया। चुग चुग वानत मारा।
   कंसराय घर हुति जिवेरी बारति बगड़ सकारो।
   है कुबज्या वै दिन कु न चितारो।[1]
   हाथ कटोरो वनणा कैर मुठीयो। घसता गयो रे जमारो।
   अब मेलन की भई पटराणि। मोहो स्याम हमारो।
   है कुबज्या वै दिन कु न चितारो।[2]
2. कानों कुबज्या रो सिखलायो माँसु रुठे छे जी रुठे छे।

राधा के सन्दर्भ में–

1. परम सुन्दरी मृगानेणी राधे थे मोहन वस कीनो हो। टे0
   कोप्यौ सुनो लुंग सुपारी पानन मैं कछु दीनो हो।
2. तीका नेण रादे जी का ज्याने मौया कंवर नंद जी का

गोपियों के सम्बन्ध में–

सब गोपीयाँ सूं लाला हंस हंस बोलो।
मैं कंई नार बुरी छूँ जी दीनानाथ बड़ी छूं।
सब गोपीयाँ मोतीयन की माला में तो हीर कणे री जी
सब गोप्याँ तो लाला चपला री कलियाँ
हम तो फूल गुलाबी जी............
ब्रजराज बड़ी छूँ दीनानाथ बड़ी छूँ।

बँसी के सन्दर्भ में–

1. तने नीका जाणी हे बन री लाकड़ी
   तें गिरधर मोहीयो तपस्या कुण करी ॥टेक
   थारो हो तो वृन्दावन बास तु वन की लाकड़ी।
2. मन माने ज्याँ जावो छो राज थाँरो ॥ टेर
   भीलनी के बोर सुदामा के तंदुल, रुच रुच भोग लगावो छो।[1]
   दुरजोदन का मैवा त्याग्या, साग विदुर घर पावो छो ॥[2]
   राधा रुकमनी तजी सतभामा कुबज्या के मन भावो छो ॥[3]
   मीराँ के प्रभु गिरधरनागर बोल वचन निभावो छो ॥[4]

मीराँ के पदों में भाग्यवादिता–

भाग्यवादिता लोक जीवन में व्याप्त मुख धारणा, मान्यता एवं आस्था या विश्वास है। मीराँ के पदों में भाग्यवादिता के पुनः पुनः उल्लेख से यह संकेत मिलता है कि मीराँ युग में भाग्यवादिता जन-जन में व्याप्त हो चली थी। मीराँ जैसी आदर्श भक्तिमति नारी के पदों में इसका उल्लेख मीराँ के प्रसंग में भी अनेक बार हुआ है, जैसे–

1. रामजी मिलावे तो फेर मिलाँगे।
   मीराँ के प्रभु गिरधरनागर। हुंण मतै सो होई।
2. होणी होई सोई बीदना होसी सोच करे सो ही गैला।
3. हमारे पे काहे कु खिजी ब्रजनारी।
   अपनो भाग सोच नही देखा, कहन क्रपा कछु न्यारी।

4. रामजी मिलण कद होसी म्हारा जूनाँ जोसी,
हर जी मिलण कद होसी।
5. बूझो बूझो पंडत जोसी, मोरा राम मिलन कब होसी।
6. हूँण मते सो होई।

मीराँ के युग और उसकी परिस्थितियों ने भारतवासियों को भाग्यवादी बना दिया था। 'कोउ नृप होऊ हमें का हानि' जैसी उदासीनता लिए हुए सन्तों और भक्तों ने जनता को ईश्वरमुखी किया तब भाग्यवादिता भी उसके साथ ही जनजीवन में अनायास प्रसारित हो गई। शत्रुओं के निरन्तर आक्रमणों तथा हिन्दू जनता के आशा स्तम्भों की गिरती दीवारों ने जनजीवन में भाग्यवादिता की जड़ और गहरी कर दी। जब असम्भव ही सम्भव होने लगा तब भाग्य के अतिरिक्त किस पर दोषारोपण किया जाए और किस पर आशा रखी जाए? आक्रमणकारियों ने सर्वशक्तिमान शासकों और महाबली ईश्वर (सोमनाथ का मन्दिर आदि) की मूर्तियों का भंजन कर दिया तब भक्तों को यह भाग्य का ही खेल दिखाई दिया और यही सोचकर उन्होंने अपने दुःख को हलका कर लिया।

मीराँ के पदों में खेल–

मध्ययुगीन राजस्थान के सामाजिक जीवन का विवेचन प्रस्तुत करते हुए डॉ. गोपीनाथ शर्मा ने बताया है कि उस युग में शतरंज, चौपड़, तास, रस्साकसी, घूसा-मुक्की, चरभर जानवरों की लड़ाई, शिकार, नटकला आदि प्रचलित थे।[10]

इनमें से कुछ का मीराँ के पदों में भी वर्णन हुआ है। इससे ज्ञात होता है कि मीराँ के समय में भी ये खेल प्रचलित थे। खेलों का उल्लेख भी सामाजिक जीवन परिचय का एक मुख्य घटक है–

1. सब सखियन मिल *पत्रग रमत* है।
मौकुँ आवत लाज
2. सब सखियाँ मिलि *फाग रमत* है
मौकूँ आवत लाज
3. यैक नाचत एक गावत।
4. खेल मच्यौ रस रैली पैली को नवल किशोर किशोरीया।
5. आवो री सषी खेल रच्यौ हैं सरसी सारा काज।
गह वहीयाँ हम हरि संग खेला पुरणा परम सुहाग॥[2]
फैंट पकड़ हम फुगवा लेस्याँ अब कत जाओ भाग।

मीराँ के पदों में संगीत–

मीराँ के पदों में संगीत की बहुलता दृष्टिगत होती है। किन्तु डॉ. मनोहर

शर्मा के विचार से–"अभी तक मीराँबाई के नाम से कई पद संग्रह तो जरूर प्रकाशित हुए हैं परन्तु उसके संगीत पर कुछ भी नहीं लिखा गया है।" मीराँबाई के अनेक पद राग-रागिनियों से पूर्ण हैं तथा बहुत से पद राग-रागिनियों के आधार पर गाए जा सकते हैं। मीराँ के पदों की अनेक विशेषताओं में से यह भी एक विशेषता है कि वे गेय परम्परा के हैं और उनमें से अधिकाँश संगीतात्मकता से पूर्ण हैं। इसके साथ ही मीराँ के पदों में संगीत के साथ यन्त्रों का उल्लेख हुआ है, जिस से मीराँ युगीन वाद्य यन्त्रों का परिचय प्राप्त होता है–

1. तन करि *ताल* मन करि *मिरदंग।*
   सुणत ही सुरति जगाऊँ ए माई॥
2. बावरी किन्ही हो *बँसी* बावरी किन्ही
3. बाजत *ताल मृदंग झिझउक* झाँझर होत आवाज
4. यैक नाचत यैक *मृदंग* बजावत।
5. बाजत *जाँझ मृदंग मुरलिया* बाज रही *करतारो*
6. *उफ* बाजे कुटल कन्हैया कौ।

भजनों अथवा पदों में नोटक, सवैया, ध्रुपद गीत, पूर्वीगीत, ललित गीत, भैरव गीत, ठुमरी आदि गीत छन्द का अधिक प्रयोग होता है। मीराँ के पदों में भी अनेक गति छन्द देखे जा सकते हैं।

मीराँ के पदों में नृत्य–

मीराँ के युग में संगीत के साथ-साथ नृत्य का भी प्रचलन था।'[1] मीराँ ने भी इस नृत्य का (स्व और पर पक्ष दोनों में) उल्लेख किया है। मीराँ के पदों में 'फागु, चर्चरी आदि नृत्यों का वर्णन हुआ है।

यक नाचत यक मृदंग बजावत आदि।

मीराँ के पदों में त्योहार–

लोक जीवन में त्योहारों का बहुत महत्त्वपूर्ण स्थान होता है। त्योहार, किसी भी समाज और देश में अपना साँस्कृतिक महत्त्व रखते हैं। त्योहारों में भी होली का लोक जीवन में अधिक महत्त्व और प्रचलन है। होली का, धार्मिक एवं लौकिक दोनों ही प्रकार से साहित्य में उल्लेख कई वर्षों से बराबर मिलता है। मीराँ के युग में भी त्योहारों का अत्यधिक प्रचलन था। सभी धर्मों के लोग अपने-अपने त्योहार बड़ी धूम-धाम से मनाया करते थे।[2]

मीराँ के पदों में भी कुछ लोक प्रचलित त्योहारों का उल्लेख हुआ है–

1. होरी में नाँहि खेलु गी बिन दरसण महाराज।
2. साँवणीयाँ री तीज आदि।

मीराँ के पदों में पूर्व जन्म सम्बन्धी उल्लेख–

धार्मिक श्रद्धालुओं की यह मान्यता है कि मीराँ गोपी का अवतार थी। गोपी अपने विवाह के पश्चात् अपने पति के साथ अपनी ससुराल लौट रही थी कि राह में कृष्ण मिल गए। उन्होंने उस गोपी से घूँघट उठाने को कहा, किन्तु उसने घूँघट नहीं उठाया। कृष्ण को बुरा लगा और उसी का बदला मीराँ के इस जन्म में लिया।

लोक जीवन में भी पूर्वजन्म का अत्यन्त महत्त्व है। पूर्वजन्म सम्बन्धी उल्लेखों का प्रचलन लौकिक जीवन में बहुलता से मिलता है। इस तरह मीराँ युग की यह भी एक साँस्कृतिक धरोहर है।

मीराँ के पदों में पूर्वजन्म सम्बन्धी जो उल्लेख मिलते हैं उनसे उपर्युक्त धारणात्मक घटना की पुष्टि होती है–

1. गोकल वाजा वाजिया रे। बरसाणे सुणी आवाज।
   मैं दद बेचण जावती। कहीं आगे खड़ा नन्दलाल।
   जी माने बँसी की रे टेर सुणाई रे।
2. पूरब जनम री प्रीत साँवरीया सोइ बात वणेला।
3. सुन्दर सुघड़ सुजान साँवरो जनम जनम भरतार।
4. मीराँ कहे प्रभु गिरधर नागर।
   किया है गरभ माहे कोल
5. नणदी हे! मोहन मुंदरी ले गयो।
   हूँ दध बेचण जात ही कुंजगली भई भेंट
6. नंद जी के द्वार आगै माला मोरी ले गयो।
7. ये जल यमुना भरन जता ही बीच मिले जदुराई
8. साँवरी सषी मोरो नाम छे।
9. ललता सखी मेरो नाम छै।

उपर्युक्त सभी पदों में मीराँ का संकेत अपने पूर्व जन्म से है। जब वह बरसाणै की गूजरी थी और एक दिन दूध बेचने जा रही थी कि सामने नन्दलाल खड़े हुए दिखाई दिए। नन्दलाल ने उसे अपनी बँसी की टेर सुनाई। मीराँ के इस जन्म में तो ऐसा प्रसंग कभी आया नहीं। न इतिहास ऐसी किसी घटना की पुष्टि करता है और न किंवदन्तियाँ ही। कृष्ण नन्द के लाला के रूप में द्वापर में ही अवतरित हुए थे और द्वापर में ही उन्होंने गोकल में गोप-गोपियों को बँसी की टेर सुनाई थी। द्वापर के पश्चात् कृष्णावतार सुना नहीं गया। अतः मीराँ का उपर्युक्त नंदलाल से गोपी रूप में मिलन निश्चित् रूप से पूर्व जन्म का ही है।

दूसरे और तीसरे पद में मीराँ ने जैसे और अधिक स्पष्ट कर दिया है, यह कहकर कि 'पूरब जनम री प्रीत साँवरिया' तथा 'साँवरो जनम जनम भरतार।' इसके साथ ही मीराँ को वह (कोल) 'वचन' भी स्मरण है जो गिरधरनागर ने 'गर्भ' में दिया था।

मीराँ के पदों में पूर्व जन्म के ये प्रसंग अनेक बार आए हैं:–

अहीर को प्यारो प्यारो री माई साँवरो
मैं दधि बेचन जात वृन्दावन। छीन लयो दधि साँवरो री।
येक नाचत येक मृदंग वजावत। येक गावत दे दे तारी रे॥
वृन्दावन की कुंज गलिन में। सेस गोपी यक कान कानो री।
वृन्दावन में रास रच्यो है। नरत करे गिरधर धारी री॥
मीराँ के प्रभु गिरधर नागर। हरि चरना चित मेरो मेरो री माई॥

मीराँ के पदों में प्रकृति–

प्रकृति का मानव जीवन के साथ सदा से एक गहरा और अटूट सम्बन्ध रहा है। मानव ने जहाँ अनुभूति को अभिव्यक्ति दी है, वहीं अपने से सम्बन्धित प्रकृति का वर्णन अवश्य किया है। यह वर्णन-परम्परा मानव अभिव्यक्ति के साथ से चली आ रही है और आज भी अक्षुण्ण है। मीराँ भी अपने युग और परिस्थितियों से अलग कैसे रह सकती थी? मीराँ के पदों में प्रकृति चित्रण नाना रूपों में मिलता है। प्रकृति ने मानव भावों को एक ओर प्रश्रय दिया है तो दूसरी ओर भावाभिव्यक्ति को माध्यम भी दिया है। अतः मीराँ के पदों में प्रकृति के ये दोनों ही रूप दृष्टिगत होते हैं। वैसे मोटे रूप से मीराँ के पदों में प्रकृति के दो रूप हैं :–

1. पशु-पक्षियों के रूप में
2. फल-फूलादि (वनस्पति) के रूप में

पशु-पक्षियों के रूप में–

मीराँ के पदों में पशु-पक्षी (कहीं-कहीं) भावाभिव्यक्ति के मुख्य साधन के रूप में आए हैं तो कहीं शकुन संकेत के रूप में, तो कहीं लोकोक्ति के रूप में, तो कहीं उदाहरणस्वरूप, तो कहीं उपमा रूप में, और कहीं शुद्ध प्राकृतिक वर्णन रूप में आए हैं। पशु-पक्षियों को भी दो उप-विभागों में बांटा जा सकता है–

1. पशु, 2. पक्षी।

पक्षी-भावाभिव्यक्ति के मुख्य साधन के रूप में–

रत आयाँ बोले मोर। हरि बिना जिव दोरा॥टेर

ऊमड़ घुमड़ बाई बादलिया। बरसत है चहुँ ओराँ॥1
दादर मोर पपेया बोले। *कोकील* है तन सोरा॥2
नदि किनारे *सारस* बोले। कहा जानू पिय मोरा॥3
मीराँ कहे गिरधर नागर। हरि मिल्याँ जिव सोरा॥4

शकुन के रूप में–

1. ये आज आवैंगे मेरे लाल *कागा* बोले सुभ बानी।
2. आगे बाँन सुनावे *कामरिया।*
3. उड़ि जारे *काम* बनका। मेरा स्याम गया बोहो दिनका रे।

लोकोक्ति के रूप में–

1. तुम चरणन में लीन रहे मन। जीस मच्छी जल ध्याना।

उदाहरणस्वरूप–

तीनों लोक के प्रभु तुम चन्दा में *चकवारो* जी, गोरधन धारी जी
तुम सरवर हम *हँसा* तुमारा। तुम भँवरा हम वाडी जी, गोरधन धारी जी।

उपमा रूप में–

कोयल ज्युँ 'काली भई *बागल ज्यु*' बरलाय।
माखी ज्यूँ मल को खाय

शुद्ध प्रकृति रूप में–

दादर *मोर पपेया* बोले *कोयल* मुधरी सी वाणी हो।

पशु–

मीराँ के पदों में पशु वर्ग का उल्लेख भी प्रर्याप्त है। पशु वर्ग भी लोक जीवन का (मीराँ युगीन) प्रमुख साधन रहा है। चूँकि मीराँ के आराध्यदेव (प्रभु, प्रियतम) गिरधरनागर को पशु विशेष प्रिय रहा है। (मुख्यतया गाय, बछड़ा हरिण आदि) अतः अपने प्रभु के गुणगान प्रसंग अथवा पूर्व जन्म के संस्मरण-स्मरण अथवा अपने विरह निवेदन अथवा पूर्ण आसक्ति प्रदर्शन हेतु मीराँ ने पशु वर्ग का उल्लेख अपने पदों में किया है। जैसे–

अपने प्रभु के गुणगान प्रसंग में–

कुंजर ई कि तार्‍यो साँवरा

पूर्वजन्म के स्मरण में–

पीर न पीवे थारा *बाछड़ा* रे वाला
वन वन ढूँढी थारी *गाय*

अपने विरह निवेदन में–

1. मैं जंगल की *होरणी* री सजनी। सतगुर मारगा तीर।
2. *मीन* मृग धरे न धीर। आस चलाई है।

पूर्ण आसक्ति प्रदर्शन हेतु–

तुम चरणाँ में लीन रहे मन। जीऊ *मछी* जलध्यानाँ।

साम्य प्रदर्शन हेतु–

अैसी बनी माँनौ *वीरबहोटी है।*

उपमा के रूप में–

प्रेम पुस्ब मन मेवा।

तुलनात्मक रूप में–

1. सब गोप्याँ तो लाला चपला री कलियाँ
   हम तो फूल *गुलाबी।*
2. थे तो राणा जी म्हाने इसड़ा लागो, ज्यूँ ब्रच्छन में *कैर।*

इस प्रकार मीराँ के पदों में फूलों में–केतकी, चम्पा, केवड़ो, गुलाब, चँपला आदि तथा फलों में–आँबा, महुआ, नींबू, केर आदि का वर्णन अधिकता से मिलता है।

मासों का वर्णन–

यद्यपि राजस्थान में वर्षा का अभाव रहता है किन्तु लोक जीवन में जितने सावण, भादों से सम्बन्धित लोक गीत राजस्थान में प्रचलित हैं, अन्यत्र सम्भवतः इतने नहीं होंगे। राजस्थान के कवियों में मासों का अलग-अलग तथा सम्मिलित रूप से बारह मासों का वर्णन करने की परम्परा बहुत अधिक रही है। मीराँ के पदों में भी महिनों का वर्णन यत्र-तत्र मिलता है।

1. हो रत *फागण* घिर आई
2. होरी *फागण* का दिन में प्रीतम तज गए देस
3. आयो है *सावन मास* के मोर मलारिया

बादलों का वर्णन–

प्रिय के लिए प्रियतम के बिना सब-कुछ सूना है। सावन में उमड़-घुमड़ा कर आने वाले बादलों का महत्त्व भी तभी है जब प्रियतम घर हों। मीराँ से बादलों को सम्बोधित कर जो भावाभिव्यक्ति हुई है उसे देखकर कालिदास के 'यक्ष' की याद ताजा हो जाती है।

1. बदला रे तू जल भर ले आयी॥टेक
   छोटी छोटी बूंदन बरसन लागी। *कोइल* सबद सुनायो॥1
   गाजै वाजै पवन मधुरिया। अंबर बदरा छायो॥2
   सेज सवाराँ पिय घर आए। हिलि मिलि मंगल गायो॥3
   मीराँ के प्रभु हरि अवनासी। भाग भलो जिन पायौ॥4
2. काली पीली घटा ऊमगै आई वरसै मूसलाधार

फल-फूलादि (वनस्पति) के रूप में–

साहित्य में प्रकृति से मुख्यतः संकेत फल-फूलों से ही लेते हैं किन्तु प्रकृति का पूर्ण रूप पशु-पक्षियों सहित होने पर ही बनता है। अतः मैंने पशु-पक्षियों और फल-फूलादि को प्रकृति के विशाल रूप में ही समाहित कर लिया है। पशु-पक्षियों की तरह ही फलों-फूलों ने भी मानव भावों को उद्‌गम, सहारा और गति अथवा माध्यम प्रदान किया है। साहित्यकारों ने प्रकृति को मुख्य रूप से दो तरह से प्रस्तुत किया है–

1. भावानुकूल, 2. भाव विपरीत।

शुद्ध प्रकृति के रूप में–

फूल 1 *केतकि चंपो केवड़ो* अवर सुगंधी जाय।
फल 2 *आँबा* जी पाका *मडु* झड़ लागा, मीबूंड़ा पाका मारै देस।

सामाजिक व्यवस्था

संयुक्त कुटुम्ब प्रणाली–

मीराँबाई के पदों में मध्यकालीन सामाजिक जीवन और उसकी व्यवस्था की सुन्दर झलक स्पष्ट दृष्टिगत होती है। सामान्य पारिवारिक जीवन से लेकर राजपरिवार की व्यवस्था, संगठन आदि का परिचय मीराँ के पदों से प्राप्त होता है। मीराँ के पदों से ज्ञात होता है कि मध्ययुग में संयुक्त कुटुम्ब प्रणाली थी।[13] यह संयुक्त कुटुम्ब प्रणाली सामान्य परिवार से लेकर राजपरिवार तक प्रचलित थी। मीराँ इस ओर संकेत करती हुई कहती है–

1. देवर जैठ म्हारो कुटम कबीलो।

2. मात-पिता सुत कुटम्ब कबीलो। यामै तेरों मोह रै।

इस संयुक्त कुटम्ब प्रणाली में दोष आ गए थे जिनकी ओर मीराँ इंगित करती हुई कहती है–

1. नित की राड़ पछाड़

2. सासरीया में दुःख घणेरो सासू नणद सतावै।

मनुष्य प्रसन्न होता है, तब उसे लगता है जैसे सारी प्रकृति प्रसन्न है। उसे प्रकृति की प्रत्येक वस्तु प्यारी लगने लगती है किन्तु दुःखी मानव प्रकृति को भी दुःखी देखने का आदी हो गया है, वस्तुतः ऐसा होता नहीं है। कभी-कभी इसके विपरीत भी होता है, जब रोता हुआ मानव यह अनुभव करता है कि प्रकृति उसके साथ रो नहीं रही है तब इस स्थिति में या तो वह प्रकृति से सन्देश ग्रहण करता है अथवा आत्मग्लानि से पीड़ित हो जाता है।

मीराँ के पदों में फल-फूल, पौधों वृक्षों का प्रयोग तो हुआ है किन्तु उनमें तीन ही भाव मुख्य हैं–

1. शुद्ध प्रकृति वर्णन के रूप में,

2. तुलनात्मक रूप में,

3. उपमा के रूप में।

संयुक्त कुटुम्ब-प्रणाली व्यक्ति स्वातन्त्र्य में बाधक बनी और उसने अपनी सीमाओं में मीराँ को बाँधने का प्रयास किया। परिवार-मर्यादा, वंश परम्परा, जाति और कुल के व्यक्ति (विशेषकर स्त्री से) यह आशा रखते थे कि वह उनकी व्यवस्थाओं (मर्यादा) के अनुरूप कार्य करे। व्यक्ति से परिवार, वंश, जाति, समाज, आनमान आदि बड़े समझे जाते थे।[14] मीराँ से भी यही आशा की गई और जब उसने इनके प्रति विद्रोह कर दिया[15] तब उसे परिवार और लोक-निन्दा सुननी पड़ी।[16] किन्तु मीराँ के पीहर का कौटुम्बिक जीवन उत्कृष्ट संयुक्त कुटुम्ब प्रणाली का उदाहरण कहा जा सकता है जहाँ स्नेह, सम्मान और परस्पर सहयोग के महान भाव हैं।

धार्मिक वातावरण–

मध्ययुगीन राजस्थान धर्म प्रधान था।[17] धर्म का प्रभाव और अप्रत्यक्ष अंकुश जनता पर था। मीराँ के पद इस बात के साक्षी हैं (कि) 'सन्त समागम हरि कथा' का अधिक प्रचलन था और जन सामान्य का रुझान भी इस ओर अधिक था। इस कारण समाज में सत्य, न्याय और सदाचार का वातावरण था,[18] किन्तु विदेशी आक्रमण के कारण वह बातावरण धीरे-धीरे समाप्ति की ओर अग्रसर हो रहा था। मीराँ के जन्मस्थान मेड़ता में यह धार्मिकता कहीं अधिक थी, जिसके

कारण वह मीराँ को प्रिय था।[19] इस धार्मिक वातावरण में तीर्थ, वृत का आधिक्य था।[20]

इस युग में मेड़ता राजपरिवार में वैष्णव पूजा थी[21] और मेवाड़ राजपरिवार में शिव पूजा का आधिक्य था।[22] धार्मिक सकीर्णता अधिक नहीं थीं किन्तु धर्म और सम्प्रदाय प्रसार के प्रयत्नों का जोर था।[23] भजन मण्डलियाँ और धर्म प्रचारक आया जाया करते थे। 'सन्त समागम' और 'हरि कथा' सम्मान जनक कार्य समझा जाता था और इसका राजपरिवार तक में प्रचलन था। मीराँ ने भी सन्त समागम हरिकथा का अपने पदों में बार-बार उल्लेख किया है।

मूर्ति पूजा प्रचलित थी, जिसमें क्रियाकाण्डों का विशेष महत्त्व था। जन चरणामृत का नेम रखा करते थे और प्रतिदिन उठते ही 'प्रभुदरसण' करना कर्त्तव्य समझा जाता था (ऐसा आज भी मीराँ की जन्मस्थली मेड़ता में देखा जा सकता है)।

चरणाँमत को नैम हमारे नित उठ दरसण जास्याँ

जाति प्रथा–

मीराँ के युग में जाति प्रथा अपने चरमोत्कर्ष पर थी। व्यक्ति जन्म से पहचाना जाता था, कर्म से नहीं। जाति विशेष की अपनी विशेषता होती थी। अभिशाप व्यक्ति से जाति में फैल जाने की धारणा जग में प्रचलित थी। मीराँ को जहर देने के प्रसंग में ऐसी धारणा आज भी प्रचलित है। तत्कालीन कुछ जातियों का मीराँ ने अपने पदों में उल्लेख किया।

सिसोदिया, राठौड़, मेड़तिया आदि राजपूत जातियाँ हैं। जोगी, वैरागी, बन्जारा, अहीर, ब्राह्मण, बाणियाँ, दास आदि का उल्लेख (जाति विशेष के रूप में) मीराँ के पदों में मिलता है।

1. नगर बसे *बामण वाँणिया।* भीतर सुदर *पंवार।*
2. *राणाँ* म्हारो काँई करसी।
3. जो ए *दासी* महल में।
4. आखर जात *अहीर।*

विवाह–

मध्य युग में साामन्यतः विवाह छोटी अवस्था में ही कर दिया करते थे (विशेषकर कन्याओं के) किन्तु राजपरिवार अथवा राजपूत परिवार में 17-18 वर्ष की अवस्था में भी विवाह होते थे।[24] मीराँ स्वयं इसका उदाहरण है। मीराँ के पद इस ओर भी प्रकाश डालते हैं। इन पदों से ज्ञात होता है कि विवाह कन्या की सहमति के बिना माता-पिता की इच्छा से होते थे, जिसमें वंश, जाति और स्तर का अधिक ध्यान रखा जाता था। विवाह बड़ी धूम-धाम से किए जाते थे।

राजपरिवार के विवाह में जनता का पूरा सहयोग रहता था। मीराँ के युग में विवाह पवित्र संस्कार माना जाता था, जो हिन्दू शास्त्रों के अनुसार होता था।[25]

विधवा विवाह–

विधवा विवाह का क्षत्रिय समाज में प्रचलन नहीं था। पति के मृत्यु के पश्चात् स्त्री श्रृंगार तज देती थी। आभूषणों और वस्त्रों में परिवर्तन हो जाता था। मीराँ ने अपनी स्थिति का वर्णन करते समय, ऐसे अनेक संकेत दिए हैं जिनसे मध्ययुगीन समाज का चित्र स्पष्ट होता है। विवाह से पूर्व और विवाह के बाद तथा वैधव्य के पूर्व और वैधव्य के पश्चात् के वस्त्राभूषणों का मीराँ ने अपने पदों में संकेत किया है। मीराँ की वेशभूषा आदि को समझने पर यह कहा जा सकता है कि यह तत्कालीन युग की सामान्य और प्रचलित व्यवस्था थी।

जौहर–

मीराँ के युग में जौहर और सती प्रथा राजपूत समाज में अत्यधिक प्रचलित थे। स्त्री चरित्र को अत्यधिक महत्त्व दिया जाता था। राजपूत (चाहे वह सामान्य वर्ग से हो और चाहे शासकीय वर्ग से) जब शत्रु से युद्ध हार जाता था तब उसकी स्त्री अग्नि में प्रवेश कर अपने-आपको समाप्त कर लेती थी। यह अग्नि प्रवेश कभी-कभी सैकड़ों और हजारों की संख्या में होता था। मीराँ की ससुराल चित्तौड़ के 'शाके' इस बात के प्रमाण हैं। वैधव्य के पश्चात् वि.सं. 1591 में मीराँ के चित्तौड़ त्याग के तुरन्त पश्चात् मीराँ की 'सास' (झाली रानी) के नेतृत्व में चित्तौड़ में जो जौहर हुआ था, वह इतिहास में अत्यन्त प्रसिद्ध है। इस समय मीराँ चित्तौड़ त्याग न करती तो सम्भव है वह भी जीवित न बचती।

सती प्रथा–[26]

मध्य युग सतियों का युग कहा जा सकता है। मध्य युग से पूर्व नारद स्मृति[27] में भी किसी स्त्री के सतीत्व की साक्षी लेने के लिए 'अग्नि दिव्य' का उपयोग होने का उल्लेख मिलता है। 'बाल्मीकी रामायण' और रामचरित मानस' की सीता को यह 'अग्नि दिव्य' देना पड़ा था। क्षत्रिय समाज में इस प्रथा का अत्यधिक प्रचलन था।[28] प्रत्येक राजपूत स्त्री से (चाहे वह सामान्य घर की हो चाहे राजवधू) यह आशा रखी जाती थी कि वह अपने पति की मृत्योपरान्त उसके साथ अग्निचिता में प्रविष्ट हो जाएगी। मीराँ के पति भोजराज की मृत्यु के पश्चात् मीराँ से भी यह आशा की गई थी अथवा उससे कहा गया था कि वह सती हो जाए क्योंकि यही, युग, वंश, समाज और जाति की माँग थी। इस पर मीराँ को कहना पड़ा–

भजन करस्याँ सती न होस्याँ। मन मोहयो घण नामी॥

लौकिक जीवन में प्रयुक्त होने वाली वस्तुओं का उल्लेख–

तत्कालीन प्रतिदिन के जीवन में प्रयोग की जाने वाली वस्तुओं का संकेत मीराँ के पदों में यत्र-तत्र हुआ है।

1. चोवा *चंदन* बुका बंदन *अबीर* भरि भरि जोरिया।
2. सीरख *पथरण* सावदु *डोलीया* नहि तर देजो खजूरी।
   काली *काँबलीयाँ* ओडण देजौ पलक न कर सूं दूरी॥
3. भली भई मारी *मटकी* फूटी, दूध बेचन से छूटी
4. *कँचन को महल कँचन को डोलीयो रेसम बान* बनाई
   फूलन सेज फूलन के गिदवा फूलन *लूंब* लगाई॥
   चौवा *चंदन अमर कुंमकुमाँ केसर* अंग लपट पठाई॥

कार्य व्यापारों का उल्लेख–

मीराँ काव्य में स्वयुगीन विभिन्न कार्य व्यापारों का प्रसंगवश विवेचन भी हुआ है, जिससे तत्कालीन लोक प्रचलित कार्य व्यापारों का परिचय हमें प्राप्त होता है।

1. प्रात समे में कर कलेबो, चारण जासूँ गाय
2. मैं दध बेचन जात वृन्दावन।
3. भारो लासूं पुलो लासुं भैंस दुहासूं भूरी।
   राम रसोई कर जीमाऊँ जीरी लीया हजूरी॥
4. मे जल जमुना भरन जात ही
5. नींदड़ली थाने बैच धूंजे थारो गायक होय।
   पीसे सेर टके पंसेरी रिपिया री मण दोय।
   बीच बजार बिछायत माँडू ऊँची खोलूँ हाट॥
   दे दे झालाँ बधती तोलूँ बधता राखूँ बाट।
6. बारी पनघटवा कैसे जाऊँ

खाद्य पदार्थों का उल्लेख–

मध्यकाल से आज तक 'भोज' या 'जिमनार' का प्रचलन रहा है। विवाहादि अवसर पर स्वजातीय बन्धुओं को जो दावत दी जाती है, 'भोज' या 'जिमनार' कहलाती है।[29] इस अवसर पर अनेक व्यंजन परोसे जाते हैं, किन्तु 'खाँड भात' का अपना विशेष महत्त्व रहा है। इसी तरह राजस्थान में ऐसे अवसरों पर 'लापसी' आदि का अधिक प्रचलन रहा है।[30] मीराँ के पदों में इन्हीं तत्कालीन खाद्य पदार्थों

का उल्लेख हुआ है–

1. देख फूँक में पाँ धरूँगी *पाँणो* पीऊँगी मैं छाँणा।
2. मैं *दूध* बेचन जात वृन्दावन *गौ रस* को रस लीनो।
3. कोप्यो सुनो *लोंग सोपारी* पावन
4. ही जी *खाँउभात* और *मेवा मिसरी* तोरे कारण लाई जी।

लोक भाषा और लोक प्रचलित शब्दों का प्रयोग–

भक्त और उसका साहित्य लोक भूमि की देन है और उसी से निर्मित है। अतः उसमें लोक मान्यताओं के साथ-साथ लोक भाषा और लोक प्रचलित शब्दों का प्रयोग होता है। मीराँ साहित्य में भी तत्कालीन प्रचलित भाषा और उसके शब्दों का प्रयोग हुआ है–

देवरो, पुरबली, राड़-पछाड़, घर धन्धों, पीहरियों, सासरो, भले रो, माळा जुग, पुरसोतम जटा बधाऊँ, बिरस, आवागमन, अड़सट, इमरत, जिम तिम, खत छे पुराणा, रांमसिवरलो, वैद, रावळौ, बीड़द, जासी, बीगड़्यौ, चन्द्रकळा सी, पिछतासी, बुढापो, बाळपणो आदि।

नितनेम तथा भक्ति सम्बन्धी शब्द–

चिरणामित, बैद, पलक पावड़े करो, साँवळीसूरत, आँवणा, दाँवणा, आदि।

मीराँ के पदों में युद्ध सम्बन्धी शब्दावली–

सेल, वाण, राजपाट, छत्र, नृप, राजा, राव, अमराव।

मीराँ के पदों में कृष्ण के लिए शब्द–

प्रभुजी, जोगी, सतगुरु, गिरधर नागर, रांम, गोकल का बिहारी, ठाकुर, हरी, रावळ, गोबिंद, (गोविन्द गोवंद), पिय, मनमोहन, ब्रजराज, दीनानाथ, अहीर को प्यारो, अहीर, वैरागीरामां, सावरो आदि।

मीराँ के द्वारा स्वयं के लिए प्रयुक्त शब्द–

मेड़तणी, मीराँ, मीराँबाई, मीराँदासी, बाईमीराँ, कंवरी आदि।

उपमाएँ–

चाँदणी सी रात, कुरज्यां ज्यूं कुरळाती, जैसे जल बिन बेली आदि।

कहावतों तथा मुहावरों का प्रयोग–

भक्ति साहित्य लोक भाषा का साहित्य माना गया है। अतः उसमें

तत्कालीन लोक समाज में प्रचलित मुहावरों का समावेश होना स्वाभाविक है। लोक भाषा में वर्णित एवं लोक जन हेतु वर्णित, इस साहित्य में कहावतों और मुहावरों के प्रयोग से यह साहित्य सहज बोधगम्य और सजीव तथा वास्तविक बन गया है। मीराँ के पदों में कहावतों और मुहावरों का यथा स्थान प्रयोग हुआ है–

1. पलके पावड़ें करौ।
2. नीर बिना मछी किम जीवै।
3. खुटपचरो आदि।

सन्दर्भ

1. हिन्दी साहित्य का भक्ति युग अन्धविश्वास, तन्त्र मन्त्र, पूजा अनुष्ठान नाना मत वादों का युग था। उस जमाने के लोग अल्प शिक्षित थे और उन्हें कुछ उसी प्रकार के साहित्य की अपेक्षा थी जो अभिजात और लोक साहित्य कीं बीच की वस्तु जान पड़े–
   हिन्दी भक्ति साहित्य में लोकत्व। ले. रवीन्द्र भ्रमर पृ. 9
2. 'Social life in mediaeval Rajasthan' Dr. G.N. Sharma page 48-50
3. हिन्दी भक्ति साहित्य में लोक तत्व, रविन्द्र भ्रमर, पृ. 233
4. (क) पद्मावत, जायसी ग्रन्थावली, ना. प्र.प., काशी, पंचम सं. पाद टिप्पणी पृ. 130
   (ख) सोलह अवभव–चार दीर्घ केश, अँगुली, नयन, ग्रीवा
   चार लघः दशन, कुच, ललाट नाभि
   चार भरे हुएः कपोल, नितम्ब, जाँघ, कलाई
   चार क्षीणः नाक, कटि, पेट और अधर
5. (क) प्रकृति के चेतन तथा जड़ जगत से सम्बन्धी।
   (ख) मानव स्वभाव तथा मनुष्य कृत पदार्थों से सम्बन्धी।
   (ग) भूत-प्रेतों की दुनिया से सम्बन्धी।
   (घ) जादू-टोना, सम्मोहन, वशीकरण, तावीज और भाग्य से सम्बन्धी।
   (ड़) शकुन-अपशकुन से सम्बन्धी।
   (ज) रोग तथा मृत्यु से सम्बन्धी–डॉ. सत्येन्द्र, ब्रजलोक साहित्य का अध्ययन, पृ. 504
6. साँवलिया बिहारीलाल वर्मा, विश्वधर्म दर्शन, पटना, पृ. 23
7. (1) **ज्योतिष से सम्बद्ध**–शकुन-अपशकुन, स्वप्नविचार–दिक्‌शूल प्राकृतिक महोत्पात, स्त्री-पुरुष लवण मणि - रत्नादि के लवण, गृहोपकरणों के लक्षण शुभ मुहूर्त।

(2) **तन्त्र मन्त्र से सम्बद्ध**—मन्त्र, जन्त्र और ताबीज, टोना-टोटका, झाड़ फूँक, ओझाई।

(3) **अलौकिक प्राणियों से सम्बद्ध**—भूत, प्रेत, पिशाच, ब्रह्म राक्षस, राक्षसी, डाइन, चुड़ैल, जिन्न, शहीद, परी, देवता और उनके गण तथा देवियाँ और उनकी शक्तियाँ।

(4) **रोगों एवं मृत्यु से सम्बद्ध** –

(5) **अन्य विषयों से सम्बद्ध**—हस्तरेखा, साधु-फकीर और उनकी शक्तियाँ, शाप वरदान, सोने-जागने, नवीन वस्त्र पहनने, अन्न ग्रहरण करने, नाखून काटने, बाल बनवाने, तेल लगाने आदि दैनिक कृत्यों से सम्बद्ध।

—हिन्दी भक्ति साहित्य में लोक तत्व—रविन्द्र भ्रमर पृ. 240

8. श्याम, श्येन, शशघ्न, वंजुल मयूर, श्रीकर्ण, चक्रवाक, चाष, भाण्डरीक, खंजन, शुक, काक, कबूतर, कुलाल कुक्कुट, भारद्वाज, हारीत, खर, गृद्ध, पर्णकूट और चटक—(वृहत्संहिता 88। 1)

9. इस दृष्टि से कतिपय स्वप्न और उसके फल उल्लेखनीय हैं। सर्पदंश घनधान्य का दाता कहा गया है। श्वेतवस्त्र वाली स्त्री को स्नान करते देखने से लक्ष्मी की प्राप्ति होती है और यदि लाल वस्त्र वाली स्त्री को स्नान करने देखा जाए तो मृत्यु निकट आ जाती है। इसी प्रकार स्वप्न में समुद्र, हाथी दर्शन शुभ माना गया है और दाँतों के टूटकर गिरने, केश के भस्म होने, सूर्य चन्द्र को निस्तेज देखने के स्वप्न अशुभसूचक, रोगकारी और धनधान्य के नाशक कहे गये हैं।

—हिन्दी साहित्य में लोक तत्त्व, रवीन्द्र भ्रमर, पृ. 247

10. Social Life in Mediaeval Rajasthan.

—Dr. G.N. Sharma, page from 130 to 138

11. Like music, dancing was also cultivated and applied with devotion and enthusiasm in Rajasthan. It was practised as in music performances, with the accompaniment of several musical instruments, mentioned in the contemporary literature, the chief of which were vinas, flutee, clappers, drumps, sitars, tamburas, pipes, horns, trumpets, harps, butes, lyres etc. The writers' of the period refers to certain indigenous dances of Rajasthan, as bandha, kalpa, godli, chhechari, ghumara, gera and gavar.

—Social Life in Mediaeval Rajasthan : Dr. G.N. Sharma, p. 140

12. Apart from The ceremonies connected with the major crises of life, there were several festivals which were separately observed by the Hindus, Jains and Muslims, irrespective of their social status. The number of festivals associated with the HIndus, of

course, was greater, in comparison to that of the Jains of Muslims festivals.These festivals were both religious and secular, and has mythological or historical origin. The great piculiarity about them is that there is hardly a month which might not be associated with some festival of other. A few of them as enumerated below will illustrate the nature of the festivals and their place in the annual Round of activities in Rajasthan, Gangora, Raksabandhan Tija, Genesh Chaturthi Dashra, Sharada Purnima, Diwali, Sankranti, Vasanta Panchami, Holi.

—Social Life in Mediaeval Rajasthan : Dr. G.N. Sharma, p. 166-176

13. In course of time it had developed in to normal type of unit what we commonly call as the joint family. The usual form of familial grouping consisted of the father as ateh head of the family living with the wife or wives, sons, daughters, aged parents, grandchildren brothers, uncles, cousins and nephews under the same roof.

—Dr. G.N. Sharma, P. 109

14. (क) म्है तौ भजस्याँ गिरधर गौपाल।
राणौ जी म्हाँरौ काँई करसी
(ख) मेवाड़ौ रूठै तौ मारो काँई कर लेसी। गौविंद रा गुण गास्याँ
15. राम जी सूं मैं तो बात करै छी। दुरजन लोगा दीठी।
बुराँ जी कोहो नै कोई भलाँ जी कोहो। नै माँनू किसकी वरजी॥
(क) सासू नणदल देराँणी जेठाँणी। सब का वचन सहूँ।
तन धन सब अरपण ले कर हूँ उलटी पथं गहूँ॥

16. The religious life of the people of Rajasthan during our period centred round such activities of the people as concerned man's attitude towards life and God.

Social Life in Mediaeval Rajasthan : Dr. G.N. Sharma, p. 179

17. "सोसियल लाईफ इन मिडाइवल राजस्थान"–डॉ. जी.एन. शर्मा, पृ. 109
18. "म्हारैं पियरया रौ लोक भलेरौ बाँधै कंठी माळा।"
19. "चरणाम्रत को नेम म्हारै, नित उठ दरसण जास्याँ।"
20. Social life in Mediaeval Rajasthan : Dr. G.N. Sharma, p. 184-186
21. As above, p. 199
22. दौ सौ बावन वैष्णवन् की वार्ता।

23. Marriage in Mediaeval Rajasthan was the most important saecred samskara. It had to be observed by every member of the family, caste or creed, except those who voluntarily took up the vow of celibacy. In fact it remained a matter of religious and social obligation. As it is a debt which according to Hindu sastras, all owe, There is no scope for courtship of pleasure. It is morally binding on all youths.

Social Life in Mediaeval Rajasthan : Dr. G.N. Sharama page 112

24. The normal type of marriage was the one arranged by parents usually within the same caste. There was no fixed age for marriage. It varied from 8 to 21 years. Marwani was ane ond half years of age and Dhola three when they were married. In the Chand-Kunwar-ri varta there is a reference to a trader who married when his beloved was nine years of age. Malti; the bride was 18 and Madhu the bridegroom was about 20 or 22 when they were married.

Social life in Mediaeval Rajasthan : Dr. G.N. Sharma, p. 13;

25. The Sati is described as self immolation by many an early European traveller. But it really means that a virtuous living and devotion to her husband in life and in death... Many more examples can be cited where the terms Sati meant a lady of perfect fidelity to her husband.

Social Life in Mediaeval Rajasthan : Dr. G.N. Sharma, p. 127

26. नारद स्मृति (4 । 242)

27. In earlier days the custom of Sati was not verv common but in mediaeval times, it seems this practice became mor common, as is clear from numerous sati-stones and sati-impressions at the gateways of palaces and commoner's houses, raised in commemoration of many faithful wives and devoted husbands who either died a natural death or fell in bettle field... We have numerous examples of the practice of Sati, in which from the princesses down to the common woman made end of their lives.

Social Life in Mediaeval Rajasthan; Dr. G.N. Sharma, p. 127

28. For special ccasions more elaborate daitics were prepared varieties of sweets, vegetables and other articles were very common among the upper class people Lapsi, a preparation of gur, ghee and wheat was served on the occasion of marriage or other religious rites. Pancha Pakwana or five sweets were common in marriage. Ladoo, Churma, and Siro (Halwa) were popular among Brahmans and were relished by them. Puris and pulses were also freely used at banquets.

Social Life in Mediaeval Rajasthan : Dr. G.N. Sharma, p. 162-163

29. The feast given to the brotherhood at the wedding is known as... 'Jemnar' or 'Bhoj'.

G Grierson : Behar Peasant Life, Second Edition, 1926, p. 373

पदों के आधार पर मीराँ की आत्मकथा सम्बन्धी खोज

मीराँ का जीवनवृत्त और काव्य सम्प्रति अत्यन्त विवादास्पद रहे हैं। इसका कारण मीराँ के जीवनवृत्त सम्बन्धी प्रामाणिक उल्लेख का उपलब्ध न होना तो है ही साथ ही मीराँ की प्रामाणिक पदावली के अभाव में भी यह समस्या जटिल हुई है। मेरी यह धारणा है कि मीराँ अपने पदों में आज भी सजीव है। मीराँ लोकनिधि है अतः उनकी वास्तविक खोज भी लौकिक सामग्री में ही होनी चाहिए। लोकमान्यताओं, लोकवार्ताओं, किंवदन्तियों तथा लोक काव्य एवम् मीराँ के पदों में मीराँ व्याप्त है, आवश्यकता इस बात की है कि उस सम्पूर्ण सामग्री का चयन कर, उसमें से प्रामाणिक सामग्री अलग की जाए तथा शेष भक्त समाज के मनोरंजन के लिए छोड़ दी जाए। इसी दृष्टि को ध्यान में रखकर प्रस्तुत पदों को संकलित किया गया है। किसी भी साहित्यकार अथवा भक्त के जीवन पर प्रकाश डालने वाले दो ही प्रकार के तथ्य हो सकते हैं—एक आन्तरिक और दूसरा बाह्य। मीराँ के पदों के इस आन्तरिक साक्ष्य से नई सामग्री उपलब्ध होती है। इन पदों को देखने से ज्ञात होता है कि मीराँ के जीवनवृत्त पर इनसे नवीन प्रकाश पड़ता है तथा कुछ ऐतिहासिक तथ्यों की पुष्टि होती है।

मीराँ अपने आराध्यदेव श्री गिरधरनागर के भक्तिरस में रंगी, भाव-विभोर हो परिचयात्मक ढंग से गा उठी—

म्हारे हीरदे लिख्यो जी हरी नाम। अब नहीं बीसरूँ।
म्हारी सेवा में सतगुरु राम ॥ टेर
बीस का प्याला राणोराई भेज्या। दे मेड़तणी रे हाथ।
करी चरणाम्रत पी गई। थे जाणों रे रगुनाथ॥1
जा अे दासी म्हल में जो रे। मीराँ मुई क नाही।
मुई वे तो जाल दो जी। न तो नदी में दो जी बुहाई॥2
पायाँ बांद्धाँ मीराँ गुगरा जी। हाताँ लीनी ताल।
मीराँ महल में ऐकली जी। भजै राम गोपाल॥3
राणो मीराँ परी कोपीयो जी। मारु ऐकण सेल।
लाक्षण लागे जीव कुं। पीहर दो जी मेल॥4

मीराँ महल सु उतरी जी। राणा पकड़यो हाथ।
हथलेवा का साईना। मारे और न दूजी बात॥5
रत बेलया सीणागारिया ऊँटा कसीया भार।
डावो मेल्यो मेरतो। पहली पोकर जाई॥6
साँडीड़ा साँडीयो पीलाण। जा रे मीराँ पाची फैर।
कुल की तारण असतरी। मुरड़ चली राठोड़॥7
साँडीड़ा साँडयो फैर दे रे। परत न देसु पाव।
ले जाती बैकुंट में। समजीया नहीं सीसोद॥8
लाजे छै पीयर सासरो मीराँ। लाजै छै माय मोसाल।
लाजे दूदा जी रो मेरतो जी। लाजै गढ़ चीतोड़॥9
तारुँ पीयर सासरो जी। तारुँ माय मोसाल।
तारुँ दुदाजी रो मेरतो जी। तारुँ गढ़ चीतोड़॥10
लक्ष्मीनाथ के देवरे जी। बैठो सीसोदया साथ।
मीराँ नाचे एकली जी। छाड़ी कुल की लाज॥11
साथ हमारा मैं साथ की। हम हैं साधा आग।
साध हमारे मे रमया। ज्युँ पथरी में आग॥12
मीराँ को पीयर मेड़तो जी। सासरियो चीतोड़।
मीराँ ने गिरधर जी मिल्या। नागर नन्द किसोर जी॥13

इस पद से मीराँ के जीवनवृत्त, भक्ति, उपास्यदेव तथा साधुसन्तों के प्रति श्रदा और प्रेम का पूर्ण परिचय मिलता है। उपर्युक्त पद की प्रथम दो पंक्तियों में पूर्ण रूपेण मीराँ के भक्तिपूर्ण उद्धार ही हैं किन्तु पद के अन्त तक आते-आते लगता है जैसे यह पद सम्वादपूर्ण बन गया है और इसमें प्रक्षिप्त अंश का समावेश हो गया है। इस कारण इसकी प्रामाणिकता संदिग्ध भी हो जाती है किन्तु इतना अवश्य समझा जा सकता है कि इस पद के निर्माणकाल तक, लोकमानस में मीराँ का यही स्वरूप और परिचय था। इस पद के ग्रन्थ का लिपिकाल विक्रमी सम्वत् 1898 है। अतः सम्वत्. 1898 तक का मीराँ का यह परिचय है।

उपर्युक्त पद से यह ज्ञात होता है कि मीराँ के हृदय में 'हरी' का नाम अंकित हो गया है। मीराँ के ये 'हरी', उनके उपास्यदेव 'गिरधरनागर' अथवा गिरधर गोपाल श्री कृष्ण ही हैं किन्तु अपने आराध्य स्मरण में मीराँ संकीर्ण नहीं है, वह उन्हें हरि और राम दोनं ही रूपों में स्मरण करती है। यह हरि स्मरण मीराँ की आदर्श भक्ति का द्योतक है। साथ ही मीराँ के 'सतगुरु' भी वे राम ही हैं अर्थात् हरि (विष्णु) के दूसरे अवतार। इससे यही ज्ञात होता है कि मीराँ के उपास्यदेव अथवा आराध्यदेव ही गुरु थे। उन्होंने अलग से किसी लौकिक

सत्पुरुष को अपना गुरु नहीं बनाया। हरि के दो रूपों-राम और कृष्ण में मीराँ ने कभी भेद नहीं समझा, इसी कारण ये दोनों शब्द मीराँ के पदों में बार-बार एक ही के पर्यायवाची शब्दों के रूप में आए हैं। यहाँ यह भी 'सतगुरुराम' कहकर मीराँ अपने आराध्य की ओर ही संकेत करती है। अनेक नामों से भी वह अपने गिरधर को ही भजती है। श्रीमद्‌भागवत आदि पुराणों में श्री कृष्ण ने स्वयं भक्ति की ऐसी स्थिति बताई है जब उसके प्रभु ही उसके गुरु होते हैं। यहाँ मीराँ भी अपने सतगुरु का स्पष्ट उल्लेख करती है। इससे मीराँ पर किसी गुरु का आरोपण असत्य ही ज्ञात होता है।

प्रस्तुत पद से ज्ञात होता है कि 'दूदा जी के मेड़ते' और 'सिसोदिया' के गढ़ चित्तौड़ से मीराँ का कोई सम्बन्ध है। चित्तौड़ के सिसोदिया राणाओं की वह 'कुल की तारण अस्तरी हैं'। 'राणा राई' ने विष का प्याला भेजा था मीराँ को मारने के लिए, क्योंकि मीराँ ने लोकलाज छोड़कर 'पाव गुगरा' बाँध, हाथों में ताल लेकर, राम, गोपाल को भजा था। मीराँ चित्तौड़ में 'मेड़ताणी' के नाम से प्रसिद्ध है, तभी तो उसे मेड़तणी के नाम से सम्बोधित किया जाता है।

मेड़ता मीराँ का पीहर है और चित्तौड़ ससुराल है। मेवाड़ और मेड़ता के इन दोनों कुलों से मीराँ सम्बन्धित है। मेड़ता दूदाजी के मेड़ता के रूप में और चित्तौड़ सीसोदिया राणाओं के गढ़ चित्तौड़ के रूप में प्रसिद्ध है। मीराँ को उसकी साध संगति, लोक-लाज छोड़, पग घुँघरू बाँधकर नाचने के कारण, मारने का प्रयास किया गया। मारने के इन प्रयासों में विष का प्याला भेजना और एक ही सेल (अस्त्र विशेष) से मार डालने के प्रयत्न शामिल हैं। विष के प्रभाव से मीराँ बच जाती है और 'रथ और बैल्यो' में बैठ कर तथा ऊँटों पर सामान बँधवाकर अपने 'पीहर' (मेड़ता) की ओर चल देती है। इस समय मीराँ सीधी मेड़ता न आकर पहले प्रसिद्ध तीर्थ स्थल पुष्कर (पोकर) जाती है, इस कारण मेड़ता मीराँ के बाँई ओर रह गया है (डाँवो मेल्यो मेरता, पहली पोकर आई)।

पद के इस संकेत से मीराँ की पुष्कर तीर्थ यात्रा की पुष्टि होती है। मीराँ के चित्तौड़ त्याग करने पर ऊँट सवार को मीराँ को वापस लिवा लाने को भेजा जाता है किन्तु मीराँ स्पष्ट कह देती है कि वह पीछे पाँव नहीं रखेगी। इस पर उस ऊँट सवार ने उसे बहुत समझाया—आपकी इन बातों से आपके पीहर और ससुराल दोनों अपमानित होते हैं, दोनों लज्जित होते हैं। आपका पीहर दूदाजी का मेड़ता है और ससुराल गढ़ चित्तौड़ है।[31] मीराँ का उत्तर है कि मैं पीहर और ससुराल दोनों को लज्जित करने के बजाए 'त्यार' दूँगी अर्थात् गौरव प्रदान करूँगी।

प्रस्तुत पद में तत्कालीन आवागमन के साधनों का अत्यन्त सजीव वर्णन है। रथ और बैलों के साथ ऊँट सवार उन दिनों राजपरिवार की महिलाओं के, एक

स्थान से दूसरे स्थान जाने पर प्रयोग किए जाते थे। मीराँ भी कभी अकेली नहीं गई। उसके साथ भी पाँच-दस आदमी अवश्य थे।

चित्तौड़गढ़ में महाराणा कुम्भा का बनाया हुआ वराह का मन्दिर है जिसे अब तक मीराँ का मन्दिर कहा जाता रहा है और उसी को आधार बनाकर मीराँ को कुम्भा की पत्नी मानने का प्रयास भी हुआ है।[2] किन्तु मीराँ के पदों से यह स्पष्ट है कि वह मन्दिर लक्ष्मीनाथ के मन्दिर के रूप में, मीराँ के समय प्रसिद्ध था। उसी लक्ष्मीनाथजी के मन्दिर (देवरे) में मीराँ ने अपने प्रभु के भक्तिगान गाए हैं।

मीराँ के पदों को देखने से एक समस्या जटिल हो जाती है कि पदों में वर्णित यह राणा कौन है? यह 'राणा' मीराँ के ससुर महाराणा सांगा हो सकते हैं? अथवा कोई जेठ है अथवा देवर है अथवा मीराँ के पति हैं? ये राणा मीराँ के पति नहीं हो सकते क्योंकि इतिहास इस बात की पुष्टि करता है कि मीराँ के बड़े पिता (बाबोसा) राव वीरमदे दूदावत ने वि. सं. 1573 में मीराँ का विवाह चित्तौड़ के महाराणा सांगा रायमलोत के ज्येष्ठ पुत्र युवराज भोजराज से किया था। विवाह बड़ी धूम-धाम से किया गया था। महाराणा सांगा स्वयं अपने विक्रम हाथी के साथ मेड़ता गए थे। मीराँ के विवाह अवसर पर इतना बड़ा 'तोरणा' बनवाया गया था कि उस पर 300 दीपक रखे जा सकते थे। मीराँ का यह 'तोरणा' कुछ वर्षों पूर्व तक मेड़ता के चारभुजा के मन्दिर में सुरक्षित था। किन्तु विवाह के कुछ वर्ष पश्चात् ही युवराज भोजराज का देहान्त हो गया था। अतः उन्हें 'राणा' शब्द से सम्बोधित नहीं किया जा सकता। मेवाड़ में 'राणा' केवल शासक के लिए ही प्रयुक्त होता है। भोजराज सांगावत कभी मेवाड़ के राणा नहीं रहे अतः यह 'राणा' सम्बोधन युवराज के लिए नहीं हो सकता।

यदि यह मीराँ के ससुर, जेठ अथवा देवर के लिए है तब भी ठीक नहीं है क्योंकि वे मीराँ के 'हथलेवा के साईना' कैसे हो सकते हैं? मीराँ के 'हथलेवा के साईना' तो भोजराज ही हो सकते हैं। यदि यह मान भी लिया जाए कि यह शब्द मीराँ के ससुर अथवा जेठ के लिए है तो एक प्रश्न उठता है—मर्यादा का पोषक मेवाड़ का महाराणा, अपनी पुत्रवधू का हाथ पकड़ने की भूल कैसे कर सकता है?

अतः यही कहा जा सकता है कि या तो यह राणा शब्द दो भिन्न-भिन्न व्यक्तियों के लिए है अथवा यदि यह पंक्ति प्रक्षिप्त मानी जाए तो यह महाराणा विक्रमादित्य के लिए सम्भव हो सकता है। महाराणा विक्रमादित्य सांगावत, जो महाराणा रतनसी सांगावत के पश्चात् मेवाड़ की राजगद्दी पर बैठे थे, वे एक तो ऐसी ही विकृत प्रकृति के राणा के रूप में इतिहास में प्रसिद्ध हैं, दूसरे वे मीराँ के देवर थे। अतः उनके लिए मीराँ का हाथ पकड़ना सम्भव हो सकता है। अन्यथा

न तो महाराणा सांगा रायमलोत ही ऐसा कार्य कर सकते हैं जो स्वयं मीराँ को पुत्रवधू बनाकर लाए थे और न ही उनके बाद महाराणा बनने वाले रतनसी सांगावत ही। महाराणा रतनसी सांगावत ने मेवाड़ पर बहुत ही अल्प समय (वि. सं. 1584 से 1588) तक शासन किया था और इस समय भी वे आन्तरिक कलह में फंसे रहे और अन्त में अपने मामा के साथ ही युद्ध करते हुए मारे गए। उन्हें न तो मीराँ को सताने का अवसर मिला होगा और न ही वे महाराणा विक्रमादित्य जितने अपयश को प्राप्त हुए हैं। महाराणा रतनसी के बाद विक्रमादित्य राणा हुए और उनके बाद राजकुमार पृथ्वीराज रायमलोत का दासी पुत्र बणवीर महाराणा हुआ। बणवीर (दासीपुत्र) कभी इतनी हिम्मत नहीं कर सकता कि वह मीराँ को सतावे। बणवीर के पश्चात् उदैसी (उदयसिंह) सांगावत मेवाड़ के महाराणा हुए। उदैसी सांगावत मीराँ के चचेरे भाई जैमल वीरमदेवोत का बहुत सम्मान करते थे तथा धार्मिक वृत्ति[3] के महाराणा थे अतः उनसे भी मीराँ को सताने की आशा नहीं की जा सकती। उलटे उन्होंने तो महाराणा बनते ही मीराँ को मेवाड़ लाने हेतु अपने आदमी द्वारिका भेजे थे।

इस शब्द (राणा) पर समय को ध्यान में रखकर विचार करें तो भी ज्ञात होगा कि मीराँ अन्तिम रूप से वि.सं. 1590 तक चित्तौड़ में थी, इसके पश्चात् वह मेड़ता लौट गयी थी। इस बात की पुष्टि बाह्य और आन्तरिक साक्ष्य दोनों से होती है। बाह्य साक्ष्य से ज्ञात होता है कि वि.सं. 1591 में मेवाड़ का द्वितीय शाका (जौहर) हुआ था जब गुजरात के बहादुरशाह ने दूसरी बार चित्तौड़ पर आक्रमण किया था। इस समय हुए जौहर में हाड़ी कर्मावती के साथ चित्तौड़ दुर्ग की समस्त स्त्रियों ने अपने प्राण अग्नि में समर्पित किए थे। कहते हैं इस समय 1300 स्त्रियों ने इस 'शाके' में भाग लिया था। कोई भी स्त्री जीवित नहीं बची थी।[4] यदि मीराँ इस समय चित्तौड़ में होती तो उसे भी जौहर करना होता। अतः इससे पूर्व ही मीराँ ने चित्तौड़ त्याग कर दिया था और वह मेवाड़ चली आई थी।

मीराँ के पद भी इस बात के द्योतक हैं कि जबसे उसे सताना आरम्भ किया गया उसके बहुत थोड़े ही दिनों तक वह चित्तौड़ में रही। अपनी व्यथा अपने बड़े पिता तक वह भेजने लगी थी–

सासरिया में दुःख घणो रो सासू नणद सतावै।
कैजो म्हारा *बाबोसा* ने वेगा लेबा आवै ॥

अपने भाई की पुत्री के इस कारण आमन्त्रण पर राव वीरमदे स्वयं चित्तौड़ गए थे। इसी समय इन्होंने महाराणा विक्रमादित्य को भी बहुत समझाया था किन्तु उनकी न मानने पर वे मीराँबाई को लेकर मेड़ता चले आए और वि.सं.1591 में बहादुरशाह द्वारा आक्रमण करने पर भी वे चित्तौड़ नहीं गए, जब कि इससे पूर्व

सभी युद्धों में वे महाराणा की सहायतार्थ गए थे।[5]

राव वीरमदे दूदावत और उनके परिवार को राणा परिवार द्वारा ऐसा व्यवहार करने पर अत्यन्त प्रायश्चित हुआ जिसकी प्रतिध्वनि मीराँ के इन पदों में मिलती है–

'सास नणद दे लीवो लीवो म्हाना मात पिता पछताय'

मीराँ को भी चित्तौड़ के इस व्यवहार से अत्यन्त दुःख हुआ था तभी तो कहती है–

'मारा पियरिया रो लोक भले रो बाँधे कंठीमाला।'

चित्तौड़ में मीराँ के साथ जो व्यवहार किया गया उसके कारण चित्तौड़ त्याग के अतिरिक्त उसके पास और कोई चारा नहीं था। मीराँ ने इसे अपने पदों में भी स्थान दिया है–

गड़ चित्तौड़ ना रहा, नहीं रहण को जोग

मीराँ किसी मूल्य पर चित्तौड़ रहना नहीं चाहती थी। अतः उसे चित्तौड़ तो छोड़ना था पर चित्तौड़ छोड़ने के पश्चात् वह कहाँ जाए यह उसके समक्ष प्रश्न था। इसके दो ही रास्ते हो सकते थे–

1. या तो वह अपने 'पीहर' मेड़ता लौट जाए, अथवा
2. अपने प्रभु के लीला स्थलों के दर्शनार्थ चल दे।

मीराँ के प्राप्त पदों से दोनों ही ध्वनियाँ और स्पष्ट संकेत मिलते हैं किन्तु पदों के आधार पर यह निर्णय करना कठिन है कि मीराँ चित्तौड़ से सर्वप्रथम कहाँ गई–पीहर, पुष्कर, वृन्दावन अथवा द्वारिका।

मीराँ का मेड़ता गमन–

सबसे पहली सम्भावना यही है कि मीराँ अपने बड़े पिता के पास मेड़ता ही लौट गई थी और मेड़ता जाते हुए पुष्कर स्नान करती गई होगी। इस बात की पुष्टि मीराँ के पदों और इतिहास से भी होती है।[6]

विभिन्न कष्टों से तंग आकर अपने बड़े पिता,[7] जिन्हें राजस्थान में 'बाबोसा' कहा जाता है (क्षत्रिय समाज में विशेषकर) तथा राजस्थान में लड़की का बाबोसा की लाडली होना अत्यधिक प्रसिद्ध है। यह परम्परागत प्यार मीराँ को भी प्राप्त हुआ था, उन्हें मीराँ ने बड़े करुण स्वर में कहला भेजा कि मुझे लेने शीघ्र आ जावें। इस सन्देश के मिलते ही राववीरमदे दूदावत चित्तौड़ पहुँच गए और मीराँ को मेड़ते ले आए। यह घटना वि. सं. 1589 की है जबकि वीरमदे गुजरात के सुल्तान बहादुर शाह के प्रथम चित्तौड़ आक्रमण के समय चित्तौड़ रक्षार्थ गए थे।

मीराँ वि.सं. 1590 तक मेड़ता में रही। मेड़ता मीराँ को अत्यन्त प्रिय रहा

है। उसके पदों में बार-बार इस बात का उल्लेख मिलता है। मेड़ता के भक्तिपूर्ण वातावरण और सीधे-साधे श्रद्धालु लोगों से मीराँ को बड़ा स्नेह था। तभी वह बार-बार कहती है—

1. म्हारा पियरीयारी बाताँ सतगुरु केता जाज्यो।

2. मारा पीयरीया रो लोक भले रो बाँधे कंठीमाला

मीराँ के इन पदों से भी यही संकेत मिलता है कि चित्तौड़ की दुःखी मीराँ अपने प्रिय मेड़ते अवश्य गई थी। मीराँ के पदों का यह उल्लेख कि—

'डावों मेल्यो मेरता, पहली पोकर जाई'—भी मीराँ की मेड़ता यात्रा की ही पुष्टि करता है। मेड़ता आने से पूर्व मीराँ तीर्थ स्थल पुष्करराज जाती है और तत्पश्चात् मेड़ता पहुँचती है, यही संकेत प्रस्तुत पद का है।

मीराँ के मेड़ता आगमन के कुछ समय बाद ही मारवाड़ के स्वामी राव मालदे गांगावत ने मेड़ता पर आक्रमण कर दिया और राव वीरमदे दूदावत को मेड़ता छोड़ अजमेर जाना पड़ा।[8] अजमेर राव वीरमदे सपरिवार गए थे अतः मीराँ भी मेड़ता से उनके साथ अजमेर आ गई थी। राव वीरमदे दूदावत अजमेर एक वर्ष ही रह पाये थे कि राव मालदे ने अजमेर पर भी अधिकार कर लिया।[9] तब रात वीरमदे दूदावत नरणा और अमरसर की ओर चला गया। इसी समय मीराँ वृन्दावन की ओर गई होगी। मीराँ के वृन्दावन गमन की सूचना उसके पद देते हैं—

'रायघाट सब ढूँट फिरी। वृन्दावन मेरौ साँवरियो'

जब मीराँ को यह अनुभव होने लग गया कि उसका साँवरा वृन्दावन में है तब वह घर से निकल पड़ी।

वह 'घर से निकसी'। 'घर से निकसत ही' मौकुँ छींक भई अपशकुन हुआ किन्तु दूसरी ओर 'आगे वाँन सुनावै कागरिया'। इस शुभ शकुन के मिलते ही मीराँ वृन्दावन को चल दी। जब वह वृन्दावन घूम चुकी तब उसने कहा—

वृन्दावन नीजधाम। देख्यौ री मैं वृन्दावन नीजधाम।
श्री जमुना ज्याके नीकट बैहत है सब विध पूरणा काव।
श्री बलदेव माहावनौ गौकल मथुराजी विच रांम।
गौवरधन श्री माणसी गंगा वरसाणौ नंद गाम।
कुंज कुंज में कथा वसत है, नीस दिन आठुँ याम।
मीराँ के प्रभु गिरधर नागर, संतन बीच राम॥

इन पदों के सजीव वर्णनों से भी मीराँ की वृन्दावन यात्रा की पुष्टि होती है। साथ ही कुछ भक्तों ने भी मीराँ की वृन्दावन यात्रा की पुष्टि की है।[10] आधुनिक साहित्यकारों में से कुछ इस यात्रा को स्वीकार करते हैं।[11]

वृन्दावन की तीर्थयात्रा करने के पश्चात् मीराँ द्वारिका लौट जाती है जहाँ

अपने जीवन के अन्तिम समय तक वह रहती है।[12] मीराँ का द्वारिका गमन वि.सं. 1597 तक हो गया था। सभी इतिहासकार, साहित्यकार एवं धार्मिक व्यक्ति इस बात से पूर्णतया सहमत हैं कि मीराँ अपने जीवन के अन्तिम दिनों में द्वारिका में थी और वहीं उसने इस लौकिक देह का त्याग किया था। मीराँ के पदों से भी इस बात की पुष्टि होती है। किन्तु प्रश्न यह उठता है कि क्या मीराँ चित्तौड़ से सीधी द्वारिका गई थी अथवा पुष्कर मेड़ता और वृन्दावन जाने के पश्चात्? मीराँ के कुछ पद ऐसे उपलब्ध हैं जिनसे मीराँ के चित्तौड़ से सीधे द्वारिका जाने के संकेत मिलते हैं–

1. गढ चीतौड़े ना रेवाँ, नहीं रहण रो जोग
   बसस्यां रुड़ी द्वारिका। जठे हरि भक्ता रा भोग॥
2. सादां रै संग जाए द्वारका मैं तो भजस्याँ श्रीरणछोड़।
   दोडि र जास्याँ देउरे । लेस्यूँ महाप्रसाद
3. मीराँ उतरया मैल सूं जी। लीवी द्वारका री वाट

कुछ आधुनिक साहित्यकारों की भी यही धारणा बन गयी है कि मीराँ चित्तौड़ से सीधी द्वारिका गयी थी। वृन्दावन आदि स्थानों को वह नहीं गयी[13] किन्तु अन्तः और बाह्य साक्ष्यों से इस बात की पुष्टि होती है कि मीराँ पुष्कर, मेड़ता और वृन्दावन के पश्चात् ही द्वारिका गई थी।

इतना होते हुए भी मीराँ का एक पद ऐसा है जिससे मीराँ की सभी तीर्थयात्राओं के प्रति सन्देह किया जा सकता है–

मेरा राम ने रिझाऊँ अैजी में तो गुण गौविन्द का गाऊँ।
डाल पात कै हाथ न लाऊँ ना कोई बिरछ सताऊँ।
पान पान में सायब देखूँ झुक करि सीस निवाऊँ।
गंगा जाऊँ न जमना जाऊँ ना कोई तीरथ नाऊँ।
अड़सट तीरथ भरया घट भीतर जायें मलमल न्हाऊँ।
साधू होऊँ ना जटा बधाऊँ ना कोई राख रमाऊँ।
म्यान कटारि कस कर बांधूँ सूरता म्यान चलाऊँ।
पार बिरम पूरण पुरसोतम व्यापक रूप लखाऊँ।
मीराँ के प्रभु गिरधर नागर आवागमण मिटाऊँ।

यह इतिहास सम्मत तथ्य है कि मीराँबाई जोधपुर के संस्थापक राव जोधाजी रिड़मलोत के पुत्र राव दूदाजी मेड़तिया के पुत्र रतनसी दूदावत की पुत्री थी। राव दूदाजी जोधावत ने ही अपने भाई वरसी जोधावत के साथ वि.सं. 1518-19 में मेड़ता में मेड़तिया शासन स्थापित किया था।[14] अतः कालांतर में कई वर्षों तक मेड़ता दूदाजी के मेड़ता के नाम से जाना जाता रहा है। मेड़तिया राव दूदा जी के 5 पुत्र थे :–(1) राव वीरमदे, (2) रायमल, (3) रतनसी, (4) रायसल

और (5) पीचांण जी।

इतिहास साक्षी है जो मेड़ताधीश राव दूदा जी जोधावत की वि.सं. 1572 में मृत्यु हो जाने पर उनके ज्येष्ठ पुत्र राव वीरमदे दूदावत मेड़ता के शासक हुए।[15] राव दूदोजी जोधावत के पुत्र अर्थात् राव वीरमदे दूदावत के अनुज, रतनसी दूदावत की कन्या ही मीराँबाई थी। इस तरह मेड़ता के राव वीरमदे दूदावत मीराँ के बड़े पिता हुए अर्थात् पिता के बड़े भाई हुए। राजस्थान में पिता के बड़े भाई को 'बाबोसा' कहा जाता है।

इस बात की भी इतिहास पुष्टि करता है कि मीराँ के पिता रतनीसी दूदावत मेवाड़ के महाराणा सांगा और मुगल सम्राट् बाबर के बीच हुए, इतिहास प्रसिद्ध खानवा के युद्ध में महाराणा की ओर से लड़ते हुए वीरगति को प्राप्त हो गए थे।[16] खानवा का यह युद्ध विक्रमी सम्वत् 1584 में हुआ था।[17] मीराँबाई का विवाह वि.सं. 1573 में हुआ था। इस समय तक मीराँ विधवा हो चुकी थी।

इतिहास इस बात को भी स्वीकार करता है कि मेड़ता के राव वीरमदे दूदावत को महाराणा सांगा रायमलोत की बहन ब्याही गई थी और इस तरह चित्तौड़, मेड़ता के स्वामी राव वीरमदे दूदावत की ससुराल थी और महाराणा सांगा रायमलोत उनके साले थे। इसी कारण उन्होंने महाराणा सांगा रायमलोत की जीवनपर्यन्त, प्रत्येक युद्ध में सहायता की थी। यहाँ तक कि महाराणा के जीवन के इस अन्तिम युद्ध (खानवा) में भी मेड़तिया राव वीरमदे दूदावत 4000 सेना लेकर अपने दोनों छोटे भाइयों, रतनसी और रायमल के साथ महाराणा की सहायतार्थ गए थे जबकि महाराणा सांगा के जँवाई (पुत्री के पति) मारवाड़ के स्वामी राव गांगा बाघावत उस युद्ध में नहीं थे। इसी युद्ध में राव वीरमदे दूदावत के दोनों भाई (रतनसी और रायमल) वीरगति को प्राप्त हुए थे।

इन्हीं राव वीरमदे दूदात सहित पाँचों भाइयों के बीच सबसे बड़ी कन्या मीराँबाई ही थी। अतः उसका बड़े लाड़ प्यार से पालन-पोषण हुआ। मीराँ का बचपन अपने यशस्वी दादा राव दूदा जोधावत की स्नेहमयी गोद में बीता था। अभावों से दूर राज-वैभव और दुलार-प्यार में पली मीराँ, लौकिक दुर्भाग्य भी अपने साथ लाई थी। इस कारण मीराँ को लौकिक सुख कभी प्राप्त नहीं हो सके। मीराँ के जन्म के कुछ समय पश्चात् ही मीराँ की माता का स्वर्गवास हो गया। जब वह विवाह के योग्य हुई तब अर्थात् वि.सं. 1572 में उसके दारा राव दूदा जोधावत की मृत्यु हो गई। विवाह होने के कुछ वर्ष पश्चात् ही उसके पति इस संसार में नहीं रहे। उसके लौकिक पति उसके सभी सांसारिक आनन्दों की इतिश्री कर उसे वैधव्य दे गए। मीराँ अभी इस कष्ट को भूल न पाई होगी कि उसकी ससुराल के पितातुल्य ससुर महाराणा सांगा और मीराँ के पिता और पिता के भाई (रायमल) की मृत्यु एक साथ हो गई। इन एक के बाद दूसरी होने वाली

मृत्यु-लीला ने मीराँ को अत्यधिक दुःखी कर दिया। इस प्रकार एक-एक करके मीराँ के सभी सहारे इस दुनिया से चले गए। केवल एक सहारा बचा और वह भी पीहर में, राव वीरमदे दूदावत का।

चित्तौड़ में महाराणा सांगा के समाप्त होते ही मीराँबाई के दुर्दिन प्रारम्भ हो गए। महाराणा सांगा की मृत्यु होते ही मीराँ को अपमानित, प्रताड़ित कर कष्ट दिए जाने लगे जिसकी पराकाष्ठा महाराणा सांगा के द्वितीय उत्तराधिकारी (उन्हीं के पुत्र) महाराणा विक्रमादित्य सांगावत के शासन काल में हुई। अपने कुकर्मों के लिए इतिहास में कुख्यात महाराणा विक्रमादित्य ने अपनी भाभी को कष्ट देने में कोई कमी नहीं रखी, जिसकी लम्बी व्यथा मीराँ के पदों में वर्णित है। यद्यपि इन पदों में कुछ अतिशयोक्ति अथवा अप्रामाणिकता हो सकती है किन्तु सर्वथा मिथ्या संकेत ये नहीं हो सकते। मीराँ के पदों में पुनः-पुनः उल्लेख है, मीराँ को सताने, विष देने का–

1. वीस का प्याला राणो राई भेज्या दे मेड़तणी रे हाथ।
2. मीराँ ने जहर इंम्रत कर पीयो।
3. कनक कटोरे विष घोलियो, दीयौ मीराँ के हाथि
4. राव राना जहर दीन्यौ अधिक सौभा लसी।
5. प्याला में विष घोल दिया है। पीया है नीजदासी।
6. कनक कटोरा में इमरत भरयौ पीवंत कौन नटै।
7. कनक कटोरा ले विष घोल्यौ दयाराम पाँड्यो लाया।

इसी प्रकार–

8. राणो मीराँ पर कौपीयोजी। मारु एकण सेल

'राणा' के साथ-साथ ससुर परिवार के अन्य लोगों ने भी मीराँ को जी भर के सताया इसीलिए मीराँ को कहना पड़ा–

1. सासरिया में दुःख घणो रे सासू नणद सतावै
   देवर जैठ म्हारो कुटंब कबीलो नित उठ राड़ चलावै
2. देवर जेठ म्हारे कुबुधि। नित की राड़े पछाड़
3. सासु नणद मारो देवर जेठांणी सब ही मिल जगड़ी
4. सासू बुरी है मारी नणद हटीली।

उपर्युक्त सभी पदों में मीराँ को जहर देने तथा सताने की करुणा व्यथा भरी है। राणा मीराँ सम्वाद, इनमें से कुछ पदों की विशेषता है। मीराँ के प्रत्युत्तर सारगर्भित और विद्वतापूर्ण हैं। मीराँ की दृढ़ भक्ति और दुष्टों से दूर रहकर, 'हरिजन' के साथ हरि स्मरण करने के संकेत इन पदों में मिलते हैं। 'कनक कटोरे विष घोलियो' से यही ज्ञात होता है कि मीराँ जैसी राजवधू को विष देते समय भी उचित पात्र दिया गया था। इसका कारण एक तो यह हो सकता है

कि मेवाड़ का राजमहल इतना सम्पन्न था कि हीन से हीन कार्य हेतु भी सोने के कटोरे ही प्रयुक्त होते थे अथवा मीराँ राजवधू थी, अतः उस हेतु चरणाम्रत के नाम से भेजा गया विष भी सोने के कटोरे में होना चाहिए, अन्यथा सम्भव है प्रतिदिन के विपरीत पात्र में प्रभु का चरणाम्रत देखकर मीराँ को कुछ संशय हो जाता। यदि यह पद प्रक्षिप्त भी माना जाए तब भी इतना तो निश्चित है कि लोक धारणा यही थी कि चित्तौड़ की राजवधू को विष भी सोने के प्याले में दिया गया था।

वि. सं. 1588 से 1591 तक का समय महाराणा विक्रमादित्य का ही है, जब मीराँ प्रतिदिन के कष्टों से दुःखी होकर चित्तौड़ त्याग करती है। अतः कालक्रम से भी मीराँ के पदों के निर्दयी और उसे सताने वाले राणा विक्रमादित्य ही हैं। साथ ही इतिहास में इस बात का पर्याप्त उल्लेख है कि महाराणा विक्रमादित्य अपने बुजुर्ग और चित्तौड़ के रक्षक सरदारों की हंसी उड़ाया करता था, उन्हें अपमानित करता और सताया करता था जिसके कारण वे सभी चित्तौड़ छोड़कर चले गए थे। इन सरदारों और सामन्तों के चले जाने पर उसने 500 पहलवान रख लिए। ऐसा व्यक्ति जो अपने दादा और पिता के समय के अनुभवी और चित्तौड़ के रक्षक सरदारों और सामन्तों का अपमान कर, उन्हें चित्तौड़ छोड़ देने को विवश कर सकता है, उसके लिए भक्तिमति नारी को सताना कोई आश्चर्य की बात नहीं है। अतः सभी दृष्टियों से यही ज्ञात होता है कि मीराँ को सताने वाला, विष देने वाला राणा विक्रमादित्य ही था।

मीराँ को विष बड़े योजनाबद्ध तरीके से दिया गया था। उसका कारुणिक वर्णन मीराँ ने अपने पदों में किया है—

कनक कटौरे विष घोळियौ, दीयो मीराँ के हाथि
हरि चरणोदिक करि लीयौ हरि जी भयो सुनाय
सब मलि मतो उपाइयो। मीराँ ने विष द्यौ
कह्यो सुण्यो माने नहीं। नीच लग्यौ हठ यौ
नगर बसै बाँमण बांणीयाँ। भीतर सुन्दर पंवार।
मुह मोड़े मुळक्या करै। समझे नहीं गंवार॥

(सोने के कटोरे में विष घोला गया, उसे मीराँ को भेजा गया। वे जानते थे कि सम्भव है ऐसे मीराँ इसे पान न करे अतः इसे हरिचरणों का 'चरणामृत' कहकर भेजा गया। यह विष एकाएक नहीं भेजा गया। विष भेजने में पहले सबने बैठकर विचार किया कि मीराँ से छुटकारा पाने का एक ही तरीका है कि मीराँ को विष दिया जाए। इस कार्य हेतु 'मुख्या' नाम के व्यक्ति को पकड़ा गया। किन्तु वह नीच भी हठपूर्वक मना करता रहा। उसका सम्भवतः यह संकेत था कि नगर में (चित्तौड़) ब्राह्मण और बनिए रहते हैं जो धार्मिक प्रवृत्ति की जातियाँ

हैं अतः मीराँ को विष देने जैसा पाप कर्म चित्तौड़ में मैं नहीं कर सकता। वह गंवार मुँह मोड़े हुए मुसकराता रहा, कुछ समझा नहीं।)

विष देने की इस घटना का उल्लेख मीराँ ने अपने पदों में तो बार-बार किया ही है साथ ही अन्य भक्तों और साहित्यकारों ने भी उस घटना का और मीराँ को सताने का उल्लेख किया है।[18]

मीराँ को विष देने के साथ-साथ लालच आदि भी दिए गए थे। उनका संकेत मीराँ के पदों में मिलता है–

राणोजी कागद मोकळ्याजी। द्यो मेड़तणी ने जाए।
साधाँ री संगति छोडि द्यो। थाँका कुळ ने लांछण थाइ॥
काठन री माला तजोजी। पहरो मोतीहार।
भगताई थे दूरि करो जी। सब ही राजतुमार॥2

किन्तु मीराँ उस पर भी विचलित नहीं हुई। मीराँ के कुछ पदों में मीराँ को विष देने के साथ सर्प पिटारा आदि भेजने का भी उल्लेख मिलता है–

सर्प पिटारा राणाजी भेज्या। दो मेड़तणी ने जाए॥

नागरीदासजी ने मीराँ को विष देने की घटना का सविस्तार उल्लेख किया है–

'मीराँबाई सों राना बहौत दुःख पाय रहे। राना के घर की रीति, इनकी भिन्न रीत, यह भगवान सम्बन्ध सत्संग विसेस करें, देह-सम्बन्ध को नातो व्यवहार, कछू न मानै, राना बहुत समुझाय रहयौ। निदान एक विष को प्यालो इनको पठ्यो, कह्यो चरनामृत को नाम ले के दीजियो, उनके प्रण है, चरणामृत के नाम ते पी ही जाएँगे, सो ऐसी ही भयो, जानि बूझि पियो, राना तो इनके मुवे की राह देखत रह्यो उत यह झाझ मृदग संग ले के परम रंग सौं एक नयो पद बनाए ठाकुर आगे गावत भये, पद बहुत प्रसिद्ध भयो सो वह यह पद है–

राने जू विष दीनों हम जानी।
जानि बूझि चरनामृत सुनि पीयो नही बोरी मोरानी॥
कंचन कसत कसौटी जैसे तप हरयो बाहर बानी।
आपुन गिरधर न्याय कियो यह छान्यो दूध अरू पानी॥
राना कोटक वारो जिंहि पर तो तिहि हाथ बिकानी।
मीराँ प्रभु गिरधर नागर के चरन कमल लपटानी।[19]

सन्दर्भ–

1. (क) जयमल वंश प्रकाश–गोपाल सिंह मेड़तिया, पृ. 60
   (ख) उदयपुर राज्य का इतिहास–(पहला भाग) गौरीशंकर हीराचन्द ओझा, पृ. 358

(ग) मारवाड़ का इतिहास–विश्वेश्वरनाथ रेऊ, पृ. 118
(घ) मांरवाड़ का मूल इतिहास–पं. रामकरण आसोपा, पृ. 113
(ड़) पूर्व आधुनिक राजस्थान–डॉ. रघुवीर सिंह सीतामऊ, पृ. 23
(च) महाराना सांगा–हरबिलास शारदा, पृ. 95
(छ) वीर विनोद–श्यामलदास, पृ. 362
(ज) चित्तौड़गढ़ (दुर्ग) भारत में अत्यन्त प्रसिद्ध है। चित्तौड़ के स्वामी और निवासियों के लिए यह भी एक गर्व की वस्तु है कि वे चित्तौड़ के हैं। अनेकों युद्धों और मेवाड़ी वीरों की बहादुरी ने चित्तौड़ को एक विशेष गौरव प्रदान कर दिया था। आज भी लोक में प्रचलित है–

गढ़ तो चित्तौड़ गढ़ बाकी सब गढ़्या।
ताल तो भोपाल ताल बाकी सब तलैया॥

2 (क) कुम्भस्वामी और आदिवराह के दोनों विष्णु मन्दिर चित्तौड़ में एक ही ऊँची कुर्सी पर पास-पास बने हुए हैं। एक बहुत ही बड़ा और दूसरा छोटा है। बड़े मन्दिर की प्राचीन मूर्ति मुगलों के आक्रमणों के समय तोड़ डाली गई जिससे नई मूर्ति पीछे से स्थापित की गई है। इस मन्दिर की भीतरी परिक्रमा के पिछले ताक में वराह की मूर्ति विद्यमान है। अब लोक इसी को कुम्भस्वामी (कुंभस्याम) का मन्दिर कहते हैं। लोगों में यह प्रसिद्धि हो गई कि बड़ा मन्दिर महाराणा कुम्भा ने और छोटा उसकी रानी मीराँबाई ने बनवाया था, इसी जनश्रुति के आधार पर कर्नल टॉड ने मीराँबाई को महाराणा कुम्भा की रानी लिख दिया है जो मानने के योग्य नहीं है। मीराँबाई महाराणा संग्राम सिंह (सांगा) के ज्येष्ठ पुत्र भोजराज की पत्नी थी। उक्त बड़े मन्दिर के सभा मण्डप के ताकों में कुछ मूर्तियाँ स्थापित हैं जिनके आसनों पर वि.सं. 1505 के कुम्भकर्ण के लेख हैं जिनसे पाया जाता है कि वह मन्दिर उक्त सम्वत् में बना होगा। (उदयपुर राज्य का इतिहास ओझा, पृ. 622)

(ख) श्रीमती पद्मावती शबनम, मीराँ एक अध्ययन,

3. जयमल वंश प्रकाश–गोपाल सिंह मेड़तिया, पृ. 87

4. गुजरात के बहादुरशाह ने सन् 1534 ई. के अन्तिम महीनों में उसने पुनः चित्तौड़ के किले को जो घेरा और अब जो कशमकश आरम्भ हुई वह इतिहास में चित्तौड़ के दूसरे साके के नाम से प्रसिद्ध है... अन्त में जब आक्रमणकारियों को रोकना असम्भव हो गया तब चित्तौड़ में पुनः जौहर हुआ, कर्मवती के साथ ही सारी अन्य स्त्रियों ने अग्नि प्रवेश किया और बाकी रहे वीर योद्धा शत्रु से लडते हुए काम आए। मार्च 8-1535ई. को गह जौहर हुआ और उसी दिन चित्तौड़गढ़ पर बहादुरशाह का अधिकार हो गया।–पूर्व आधुनिक राजस्थान–डॉ. रघुवीरसिंह सीत्तामऊ, पृ. 25-26

5. "इस अपमानजनक सन्धि का वीरमदेवजी ने बहुत विरोध किया पर किसी ने उनकी नहीं सुनी। अतः वि.सं. 1592 (ई.सं. 1535) में मांडू के दूसरे हमले में वे नहीं गए और अपनी सेना को भेज दिया। —जयमल वंश प्रकाश—गोपाल सिंह मेड़तिया, पृ. 88
6. डावो मेल्यो मेरतो। पहली पोकर जाई।
7. मेड़ता के स्वामी—राव वीरमदवे दूदावत।
8. मारवाड़ रा परगना री विगत—नैणासी; सं. नारायणसिंह भाटी, पृ. 52 भाग2
9. (क) मेड़ता के दूदावत वीरमदेव ने गुजरात के बहादुरशाह के सेनानायक से छीनकर सन् 1535ई. में अजमेर पर स्वयं अधिकार कर लिया था। कुछ वर्षों के सतत् प्रयत्न के बाद मालदेव ने वीरमदेव को मेड़ता और अजमेर दोनों ही स्थानों से निकाल बाहर किया और उन्हें भी अपने अधिकार में ले लिया।
   —पूर्व आधुनिक राजस्थान—डॉ. रघुवीरसिंह सीतामऊ, पृ. 27
   (ख) जयमल वंश प्रकाश—गोपालसिंह मेड़तिया पृ. 92
   (ग) मारवाड़ रा परगनां री विगत (नैणसी)—स्व. डॉ. नारायणसिंह भाटी, पृ. 51
10. (क) वृन्दावन आई जीव गुसाँई जू सौं मिली झिली तिया मुख देखिबै को पन ले छुटायो।—प्रियादासजी की भक्तिरसबोधिनी टीका
   (ख) जा ब्रज जीउ मिली पन हो तिय देष तनै सुष ताही छुड़ायौ—राघवदास जी दादूपंथी
   (ग) मीराँबाई गंगादिक तीरथ करिके अरु श्री वृन्दावन हू आये, तहाँ जीऊ गुसाँई जू को प्रण स्त्री के न देखिवै को छुटायो सब सौं गुरु गोविन्दवत सनमान सत्संग और द्वारिका कौं चले। —नागरीदास
11. डॉ. सत्येन्द्र, डॉ. कृष्णलाल आदि
12. डॉ. प्रभात, मीराँबाई शोधप्रबन्ध, पृ. 167
13. डॉ. हीरालाल माहेश्वरी—राजस्थानी भाषा और साहित्य
14. जयमल वंश प्रकाश-गोपालसिंह मेड़तिया, पृ. 57-70
15. उपर्युक्त, पृ. 71-72
16. जोधपुर राज्य का इतिहास, ओझा, पृ. 300
17. उदयपुर राज्य का इतिहास, (पहली जिल्द), पृ. 374-75
18. (क) नाभादास की भक्तमाल
   (ख) नरसी मेहता
   (ग) नागरीदास, (घ) ध्रुवदास
19. नागरीदास

●●●